Taith Iaith 1

Llyfr Cwrs

Golygydd

Non ap Emlyn

YSGOL BRO GWYDIR

ⓗ Awdurdod Cymwysterau, Cwricwlwm ac Asesu Cymru 2003

Cyhoeddwyd gan Y Ganolfan Astudiaethau Addysg, Aberystwyth gyda chymorth ariannol Awdurdod Cymwysterau, Cwricwlwm ac Asesu Cymru.
Gwefan: www.caa.aber.ac.uk

ISBN 1 85644 825 8

Awduron: *Graham Edwards, Jên Pearce, Tina Thomas, Elen Roberts, Non ap Emlyn*
Golygydd a Chydlynydd: *Non ap Emlyn*
Dylunwyr: *Enfys Jenkins/Andrew Gaunt*
Cynllun y Clawr: *Andrew Gaunt*
Lluniau'r clawr: *Eisteddfod Genedlaethol Cymru, Urdd Gobaith Cymru, Getty Images, Bwrdd Croeso Cymru, Andrew Gaunt*
Paratoi'r deunydd ar gyfer y wasg: *Eirian Jones*

Aelodau'r Grŵp Monitro: *Carys Lake, Ann Lewis, Aled Loader, Alison Llewelyn, Lyn Mortell, Lisa Williams*

Argraffwyr: *Gwasg Gomer, Llandysul*

Cydnabyddiaethau

Mae'r cyhoeddwyr yn ddiolchgar i'r canlynol am ganiatâd i atgynhyrchu deunyddiau:
Andrew Gaunt: cartwnau tud. 1, 4, 9, 11, 20, 24, 26, 28, 30, 36, 38, 40, 41, 43, 48, 67, 76, 84
Enfys Jenkins: tud. 5, 13, 15, 19, 37, 39, 44, 51, 56, 74, 79
Mike Collins: tud. 6, 7, 22-3, 34-5, 46-7, 51, 53, 62-3, 68-9, 80-1
Mike Thomas a Chlwb Cicfocsio'r Wyddgrug: tud. 8
Urdd Gobaith Cymru: tud. 9 (jôcs), 15, 18, 74, 82
Colorsport: tud. 9, 17, 21, 31
Getty Images: tud. 12
Keith Morris: tud. 15 (gyda diolch i Carolyn Freeman), 73, 77
Topham Picture Point: tud 29, 31, 40
S4C: tud. 30, 31, 36, 37, 40
Granada: tud. 31, 40
Life File Photographic Library: tud. 38, 82, 83
World Religions Photo Library: tud. 38, 77
Huw Evans Picture Agency: tud. 39
Cymdeithas Pêl-droed Cymru: tud. 39
Gwasg Carreg Gwalch: tud. 51
Hedd ap Emlyn: tud. 52
Gwyn Thomas (*Gweddnewidio*, Gwasg Gee): tud. 64
Dorian Spencer Davies: tud. 65
Eisteddfod Genedlaethol Cymru: tud. 74, 75
Gwenfair Glyn: tud. 83

Mae'r cyhoeddwyr wedi gwneud pob ymgais i gysylltu â'r deiliaid hawlfraint ond ymddiheurwn os oes unrhyw un wedi'i adael allan.

Cynnwys

I'r tiwtor

Mae *Taith Iaith* yn cynnig cwrs cenedlaethol newydd ar gyfer Cyfnod Allweddol 3. Mae wedi ei baratoi gan athrawon profiadol sy'n gweithio yn y maes ac mae'n cynnwys Llyfr Cwrs, Llyfr Gweithgareddau, cryno ddisg a gwefan (www.caa.aber.ac.uk).

Cwrs cenedlaethol

Gan fod hwn yn gwrs cenedlaethol, roedd rhaid ystyried yn ddwys pa ffurfiau y dylid eu cyflwyno, fel bod y gwaith yr un mor berthnasol i ddysgwyr ym mhob rhan o Gymru. Penderfynwyd, felly, y dylid cyflwyno ffurfiau safonol ond gall tiwtoriaid ddefnyddio ffurfiau mwy lleol os ydynt yn dymuno. Yng nghefn y llyfr hwn, ceir rhestr o rai o'r ffurfiau eraill y gellid eu defnyddio os yw'r tiwtor yn teimlo eu bod yn fwy priodol.

Nod y Cwrs

Yn ddiweddar, cafodd disgyblion ysgol gyfle i gyflwyno tystiolaeth i'r Pwyllgor Addysg a Dysgu Gydol Oes ar eu profiadau wrth ddysgu'r Gymraeg. Mae'r cwrs hwn yn ceisio ymateb i'r her a osodwyd gan y disgyblion hynny drwy sicrhau bod y profiadau a gânt yn eu gwersi Cymraeg yn rhai cadarnhaol sy'n cynnig her a boddhad iddynt. Gwneir hyn drwy gyflwyno'r iaith yn strwythuredig mewn cyd-destunau sy'n ystyrlon, defnyddiol a diddorol i ddisgyblion Cyfnod Allweddol 3. Gwnaed ymdrech ym mhob uned i sicrhau bod pwrpas clir i'r gwaith a bod digon o gyfleoedd i feithrin sgiliau ieithyddol rhyngweithiol.

Cynnwys y Llyfr Cwrs

Yn ogystal â chyflwyno iaith, ceir yn yr unedau stori lun, ambell gerdd a darnau ffeithiol byr i'w darllen. Pwrpas y rhain yw rhoi cyfle i ddisgyblion ddarllen darnau diddorol sy'n defnyddio'r iaith y maent eisoes wedi ei dysgu. Nid oes angen gwneud gweithgareddau iaith ffurfiol ar ôl eu darllen gan fod darllen er pleser yn bwysig ynddo'i hun. Fodd bynnag, mae ambell weithgaredd ar gael ar y wefan os yw tiwtoriaid yn dymuno gosod gweithgareddau penodol.

Mae pob uned yn adeiladu ar unedau blaenorol fel bod patrymau iaith a geirfa'n cael eu hadolygu a'u datblygu'n gyson drwy'r cwrs. Ceir ar ddechrau'r gwaith syniadau am eitemau iaith y gellid eu cyflwyno'n raddol a'u defnyddio yn yr ystafell ddosbarth. Nid yw'r rhestr hon yn hollgynhwysol a gellid ychwanegu ati yn ôl anghenion y dosbarth.

Cyflwyno'r gwaith

Gall tiwtoriaid gyflwyno'r cwrs yn y modd sydd fwyaf priodol i'w sefyllfaoedd nhw, e.e. gallant ddilyn y cwrs yn union fel y mae'n cael ei gyflwyno yma a gallant ddatblygu ymhellach ar rannau penodol. Gellid, er enghraifft, ehangu ar gyfeiriadau at wledydd Ewrop yn Unedau 4 a 6 er mwyn datblygu'r dimensiwn Ewropeaidd. Dylid hefyd fanteisio ar bob cyfle i gyflwyno deunydd atodol, pwrpasol, fel gemau iaith, fideos, deunyddiau darllen priodol ac ati.

Y Llyfr Gweithgareddau

Ceir yn y Llyfr Gweithgareddau lawer o weithgareddau y gellir dewis a dethol ohonynt. Unwaith eto, gellir eu defnyddio fel y maent yn ymddangos yn y llyfr hwnnw, neu gellir eu haddasu a'u datblygu yn unol â gofynion dosbarthiadau penodol. (Gweler y Llyfr Gweithgareddau am fwy o fanylion.)

Y cryno ddisg a'r wefan

Mae'r cryno ddisg yn cynnwys darnau gwrando ar gyfer pob uned ac mae'r wefan yn cynnwys y sgriptiau ar gyfer y darnau hyn, gweithgareddau atodol, taflenni gwaith a gridiau a mapiau i'w defnyddio wrth wneud y gweithgareddau.

Gobeithio'n fawr y bydd y disgyblion a'r tiwtoriaid yn mwynhau'r gwaith a geir yn y cwrs, ac y bydd yn gyfrwng hwylus ar gyfer cyflwyno a datblygu'r Gymraeg mewn modd pwrpasol, cyffrous. Gobeithio hefyd y bydd y strategaethau a geir yma yn arwain at ymagwedd gadarnhaol tuag at ddysgu'r Gymraeg ac at gynnydd sylweddol yng ngallu disgyblion i gyfathrebu yn y Gymraeg erbyn diwedd Cyfnod Allweddol 3.

Non ap Emlyn
Medi 2003

Ceir cyfeiriadau hwnt ac yma at

Y Chwiliadur Iaith y cryno ddisg

ac at y wefan (www.caa.aber.ac.uk)

Iaith y dosbarth

Beth am ddefnyddio Cymraeg yn y dosbarth?

Bore da   Prynhawn da   Helo 'na

Sut ydych chi? / Sut dych chi? / Sut dach chi?
Sut wyt ti?
Sut mae? / Shwmae?

Da iawn diolch   Iawn diolch   Eitha da
Ddim yn ddrwg   Go lew

Ga i ...?   May I have ...?

Ga i lyfr os gwelwch yn dda?   Ga i bapur os gwelwch yn dda?
Ga i'r cryno ddisg os gwelwch yn dda?   Ga i'r llyfr os gwelwch yn dda?

Cei   Cewch
Na chei   Na chewch

Ga i ...?   May I ...?

Ga i fenthyg llyfr os gwelwch yn dda?
Ga i ddefnyddio'r cyfrifiadur os gwelwch yn dda?
Ga i ofyn cwestiwn os gwelwch yn dda?

Cei   Cewch
Na chei   Na chewch

Eisiau (to) want

Rydw i eisiau llyfr os gwelwch yn dda.
Iawn.

Oes gen ti ... / Oes gennych chi ...? Have you got ...?
Oes ... gyda ti? Oes ... gyda chi?

Oes gen ti lyfr?   Oes llyfr gyda ti?
Oes gennych chi lyfr?   Oes llyfr gyda chi?

Oes   Nac oes

Mae gen i lyfr.   Mae llyfr gyda fi.
Mae gen i Daflen A.   Mae Taflen A gyda fi.

Does gen i ddim llyfr.   Does dim llyfr gyda fi.
Does gen i ddim papur.   Does dim papur gyda fi.

Rhaid - must

Rhaid ysgrifennu
Rhaid darllen

Rhaid i ti ysgrifennu
Rhaid i ti ddarllen

Pwy sy wedi ...? Who has ...?

Pwy sy wedi gorffen?

1. PWY YDY PWY

Cwestiwn	Ateb
Pwy wyt ti?	John ydw i.
Pwy ydych chi?	Siân Smith ydw i.
Ble wyt ti'n byw?	Rydw i'n byw yn Aberystwyth.
Ble ydych chi'n byw?	Rydw i'n byw yn 6 Ffordd Glan y Môr, Aberystwyth.
Faint ydy dy oed di?	Rydw i'n un deg un oed. / Rydw i'n un ar ddeg oed.
Faint ydy'ch oed chi?	Rydw i'n un deg dau oed. / Rydw i'n ddeuddeg oed.
I ba ysgol gynradd est ti?	Es i i Ysgol Penparcau.
I ba ysgol gynradd aethoch chi?	Es i i Ysgol Penparcau.

TI	CHI
gyda	gyda
• un person	• athro / athrawes
• ffrind	• oedolyn
• teulu	• mwy nag un person
• rhywun ifanc	
• anifail	

oedolyn   *adult*

Rhaid i ti ofyn cwestiynau i bobl yn y grŵp.

Rhaid i ti ateb cwestiynau yn y grŵp hefyd.

GWEITHGAREDD 1-2

Pwy ...?
... ydw i

Faint ....?
Rydw i'n ...

Ble ...?
Rydw i'n ...

I ba ysgol gynradd est ti?
Es i i ...

tud 74-76

GWEITHGAREDD 3-4

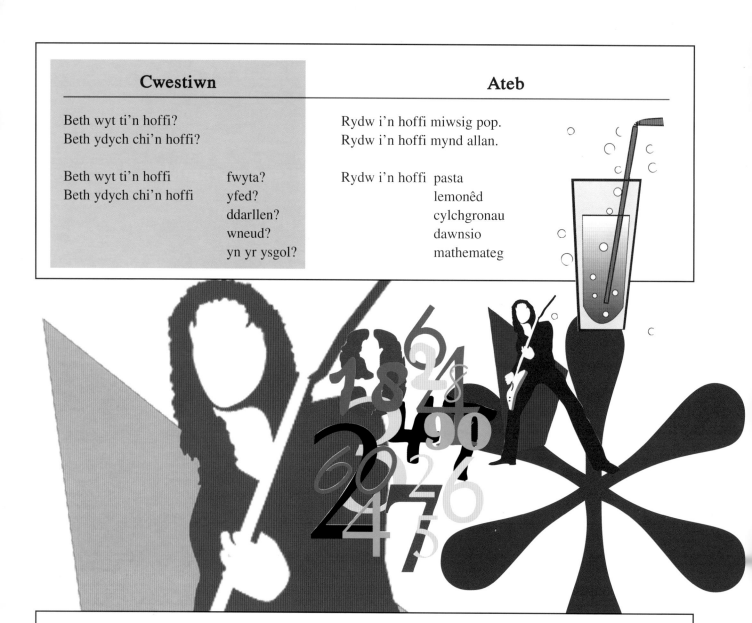

Cwestiwn		Ateb
Beth wyt ti'n hoffi?		Rydw i'n hoffi miwsig pop.
Beth ydych chi'n hoffi?		Rydw i'n hoffi mynd allan.
Beth wyt ti'n hoffi	fwyta?	Rydw i'n hoffi pasta
Beth ydych chi'n hoffi	yfed?	lemonêd
	ddarllen?	cylchgronau
	wneud?	dawnsio
	yn yr ysgol?	mathemateg

Cwestiwn		Ateb
Beth dwyt ti **ddim** yn hoffi?		Dydw i **ddim** yn hoffi miwsig hen ffasiwn.
Beth dydych chi **ddim** yn hoffi?		Dydw i **ddim** yn hoffi gwaith cartref.
Beth dwyt ti **ddim** yn hoffi	fwyta?	Dydw i **ddim** yn hoffi samosas
Beth dydych chi **ddim** yn hoffi	yfed?	cola
	ddarllen?	comics
	wneud?	siopa
	yn yr ysgol?	hanes

Geiriau bach defnyddiol			
a (+ cytsain)	*and*	Rydw i'n hoffi siopa **a** dawnsio. Dydw i ddim yn hoffi siopa **a** dydw i ddim yn hoffi gweithio.	
ac (+ a, e, i, o, u, w, y, h + rydw i, mae e/o/hi)	*and*	Rydw i'n hoffi dawnsio **ac** edrych ar y teledu. Rydw i'n hoffi chwarae hoci **ac** rydw i'n hoffi chwarae pêl-droed.	
ond	*but*	Rydw i'n hoffi mynd i'r dref **ond** dydw i ddim yn hoffi siopa.	
neu	*or*	Rydw i'n hoffi chwarae pêl-droed **neu** rygbi.	

🔍 **tud 13**

🔍 **tud 13**

cytsain	consonant - any letter that is not a vowel

GWEITHGAREDD 5

Bwyta ac yfed

Rhaid i ti ofyn cwestiynau i bobl yn y grŵp.
Dyma rai cwestiynau ac atebion.

GWEITHGAREDD 6

Beth wyt ti'n hoffi fwyta?
Rydw i'n hoffi pizza a sglodion.

Beth ydych chi'n hoffi fwyta?
Rydw i'n hoffi ham a salad ond dydw i ddim yn hoffi sglodion.

Beth wyt ti'n hoffi yfed?
Rydw i'n hoffi cola a lemonêd.

Beth ydych chi'n hoffi yfed?
Rydw i'n hoffi llaeth ond dydw i ddim yn hoffi cola.

Llaeth

GWEITHGAREDD 7

3

Yn yr ysgol

celf

Beth wyt ti'n hoffi yn yr ysgol?
Beth dwyt ti ddim yn hoffi yn yr ysgol?

drama

daearyddiaeth

Saesneg

hanes

mathemateg

cerddoriaeth

gwyddoniaeth

ymarfer corff

addysg
grefyddol

technoleg

Cymraeg

Ffrangeg

chwaraeon

GWEITHGAREDD 8-9

Beth wyt ti'n hoffi wneud amser egwyl ac amser cinio?

Beth wyt ti'n hoffi fwyta yn yr ysgol?

neu

BLASUS!

Rhaid i ti ofyn cwestiynau i bobl yn y grŵp.

Dyma rai cwestiynau ac atebion.

Beth wyt ti'n hoffi yn yr ysgol?
Rydw i'n hoffi Cymraeg.

Beth ydych chi'n hoffi yn yr ysgol?
Rydw i'n hoffi mathemateg.

Beth wyt ti'n hoffi wneud amser cinio?
Rydw i'n hoffi mynd i'r llyfrgell.

Beth ydych chi'n hoffi wneud amser cinio?
Rydw i'n hoffi siarad gyda ffrindiau.

Beth ydych chi'n hoffi fwyta amser cinio?
Rydw i'n hoffi bwyta cinio ysgol.

Beth wyt ti'n hoffi yfed amser cinio?
Rydw i'n hoffi yfed dŵr.

GWEITHGAREDD 10

Pwy ydy pwy ym Mlwyddyn 7 Ysgol Brynbach

popeth	everything
twp = gwirion	silly
dim byd	nothing

Enw: Huw Jones
Byw: 12 Y Stryd Fawr, Brynbach
Oed: 12
Hoff fwyd: byrgyr a sglodion
Cas fwyd: salad
Yn yr ysgol:
hoffi: chwaraeon, cinio ysgol
ddim yn hoffi: hanes a daearyddiaeth

Enw: Aled Williams
Byw: Fferm yr Hafod, ger Brynbach
Oed: 11
Hoff fwyd: popeth (ond cyri)
Cas fwyd: cyri
Yn yr ysgol:
hoffi: technoleg gwybodaeth
ddim yn hoffi: Ffrangeg

Enw: Lisa Evans
Byw: 10 Maes y Neuadd, Brynbach
Oed: 12
Hoff fwyd: lasagne a salad
Cas fwyd: cig a sglodion
Yn yr ysgol:
hoffi: chwaraeon, Ffrangeg, gwyddoniaeth, mathemateg
ddim yn hoffi: bechgyn twp (!)

Enw: Beca James
Byw: Plas Mawr, Brynbach
Oed: 11
Hoff fwyd: bwyd India - cyri, popadums a samosas
Cas fwyd: Dim byd
Yn yr ysgol:
hoffi: technoleg
ddim yn hoffi: gwaith cartref

hoff + treiglad meddal		cas + treiglad meddal	
hoff fwyd	*favourite food*	cas fwyd	*the food (I) like least of all*
hoff ddiod	*favourite drink*	cas ddiod	*the drink (I) like least of all*
hoff lyfr	*favourite book*	cas lyfr	*the book (I) like least of all*
hoff gylchgrawn	*favourite magazine*	cas bwnc	*the subject (I) like least of all*
hoff bwnc	*favourite subject*	cas beth	*the thing (I) like least of all*
hoff beth	*favourite thing*		

Nawr, rwyt ti'n mynd i wneud poster mawr **Pwy ydy pwy**.

GWEITHGAREDD 11

GWEITHGAREDD 12-13

Yn yr ysgol – y cinio cynta

cynta	first	bachgen, bechgyn	boy,-s
dyma	this is	gofyn	(to) ask
fy ffrind i	my friend	hwyl fawr	bye
dŵr	water	cael llond bol	(to) become fed up
dŵr potel	bottled water		(lit. to have a bellyful!)

Mae Huw ac Aled yn yr ysgol. Mae hi'n amser cinio. Mae Lisa a Beca'n dod i mewn i'r ystafell fwyta.

Pwy …?!? Cŵl!!!

Mae Huw yn siarad gyda Lisa a Beca.

Pwy wyt ti 'te?

Lisa ydw i a dyma Beca, fy ffrind i.

Mae Huw yn ffansïo Lisa.

Dyma Aled, fy ffrind i.

Haia.

Helo.

Mae Huw yn gofyn cwestiwn i Lisa …

Ble wyt ti'n byw, Lisa?

Yn Brynbach

… ac un arall …

O? Ble?

10 Maes y Neuadd.

Faint ydy dy oed di Lisa?

Rydw i'n un deg dau oed.

Mae Huw yn gofyn cwestiwn am fwyd …

Beth wyt ti'n hoffi fwyta, Lisa?

Rydw i'n hoffi lasagne a salad.

… ac am ddiod.

A fi. Beth wyt ti'n hoffi yfed?

Dŵr – dŵr potel.

A fi. Beth dwyt ti ddim yn hoffi Lisa?

Dydw i ddim yn hoffi bechgyn twp yn gofyn cwestiynau … cwestiynau … cwestiynau! Hwyl fawr!

Mae Lisa'n cael llond bol!

Ond …?

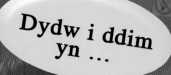

Rydw i'n …

Dydw i ddim yn …

Emma ydw i.
Rydw i'n mynd i'r ysgol gyfun.
Rydw i'n dysgu Cymraeg yn yr ysgol.
Rydw i'n hoffi Cymraeg a Ffrangeg a gwyddoniaeth.
Rydw i'n bwyta cinio yn yr ysgol – ond **dydw i ddim yn** hoffi'r byrgyr a'r sglodion.
Rydw i'n mwynhau chwaraeon, ond **dydw i ddim yn** mwynhau chwaraeon yn yr ysgol.
Rydw i'n mynd i'r clwb cicfocsio.
Rydw i'n cael hwyl gyda fy ffrindiau ac **rydw i'n** cadw'n heini.

ysgol gyfun	*comprehensive school*
mwynhau	*(to) enjoy*
cael hwyl	*(to) have fun*
cicfocsio	*kickboxing*
cadw'n heini	*(to) keep fit*

tud 15-17

GWEITHGAREDD 14-17

Cicfocsio

Mae cicfocsio yn newydd.
Mae e'n dod o America.
Mae pobl yn cicio ac yn bocsio. Mae rhai pobl yn torri pren.
Mae clybiau cicfocsio yng Nghymru.

newydd	*new*
rhai pobl	*some people*
torri pren	*(to) break wood*

Mae … yn …

Dydy … ddim yn …

Mae hi'n …

Dydy o ddim yn …

Mae o'n …

Mae e'n …

Dydy e ddim yn …

Dydy hi ddim yn …

Siarad am ffrind – neu rywun neu rywbeth arall

Mae Emma'n mynd i'r ysgol gyfun. **Mae hi'n** dysgu Cymraeg yn yr ysgol. **Mae hi'n** hoffi Cymraeg a Ffrangeg a gwyddoniaeth. **Mae hi'n** bwyta cinio yn yr ysgol – ond **dydy hi ddim yn** hoffi'r byrgyr a'r sglodion.
Mae hi'n mwynhau chwaraeon – ond **dydy hi ddim yn** mwynhau chwaraeon yn yr ysgol. **Mae hi'n** mynd i'r clwb cicfocsio. **Mae hi'n** cael hwyl gyda ffrindiau ac mae hi'n cadw'n heini.

Mae Rohel yn mwynhau sglefrfyrddio.

GWEITHGAREDD 18-20

Sglefrfyrddio

Mae sglefrfyrddio yn dod o America - o California. Mae rhai pobl yn sglefrfyrddio ar y stryd neu yn y parc. Mae rhai pobl yn hoffi criwsio'r strydoedd. Mae pobl eraill yn hoffi teithio o le i le. Mae rhai pobl yn hoffi gwneud triciau a styntiau arbennig.

Jôcs

Beth mae broga'n hoffi fwyta?
LOLIHOP

Beth mae broga'n hoffi yfed?
CRAWCO COLa

Beth mae lladron yn hoffi fwyta?
BiFF-byrglars

sglefrfyrddio	skateboarding, (to) skateboard
rhai pobl	some people
stryd, strydoedd	street,-s
teithio	travelling, (to) travel
o le i le	from place to place

Pwyntiau pwysig

Pwy?	Pwy wyt ti?	*Who are you?*
	Pwy ydych chi?	*Who are you?*
Faint?	Faint ydy dy oed di?	*How old are you?*
	Faint ydy'ch oed chi?	*How old are you?*
Ble?	Ble wyt ti'n byw?	*Where do you live?*
	Ble ydych chi'n byw?	*Where do you live?*
	Ble wyt ti'n mynd?	*Where are you going?*
	Ble ydych chi'n mynd?	*Where are you going?*
Beth?	Beth wyt ti'n hoffi?	*What do you like?*
	Beth ydych chi'n hoffi?	*What do you like?*
	Beth wyt ti'n hoffi wneud?	*What do you like doing?*
	Beth ydych chi'n hoffi wneud?	*What do you like doing?*

GWEITHGAREDD 21-22

a / ac	bachgen a merch (**a** + cytsain)	*a boy and a girl*
	afal ac oren (**ac** + llafariad)	*an apple and an orange*
	ac rydw i'n … (**ac** + rydw i)	*and I …*
	ac mae John yn … (**ac** + mae)	*and John …*

Rydw i'n …	Rydw i'n mynd	*I go / I am going*
Dydw i ddim yn …	Dydw i ddim yn mynd	*I don't go / I'm not going*
Mae John yn …	Mae John yn mynd	*John goes / John is going*
Mae e'n … / Mae o'n …	Mae e'n mynd / Mae o'n mynd	*He goes / He is going*
Dydy John ddim yn …	Dydy John ddim yn mynd	*John doesn't go / John isn't going*
Dydy e / o ddim yn …	Dydy e / o ddim yn mynd	*He / it doesn't go / isn't going*
Mae Jane yn …	Mae Jane yn mynd	*Jane goes / Jane is going*
Mae hi'n …	Mae hi'n mynd	*She goes / She is going*
Dydy Jane ddim yn …	Dydy Jane ddim yn mynd	*Jane doesn't go / Jane isn't going*
Dydy hi ddim yn …	Dydy hi ddim yn mynd	*She / it doesn't go / isn't going*

GWEITHGAREDD 23-26

2. Hamddena

POB LWC!

Pwy wyt ti?

Hywyn Heini …

heini	*fit*
diog	*lazy*

neu …

Dougie Diog

11

Mae Hywyn Heini yn hoffi:

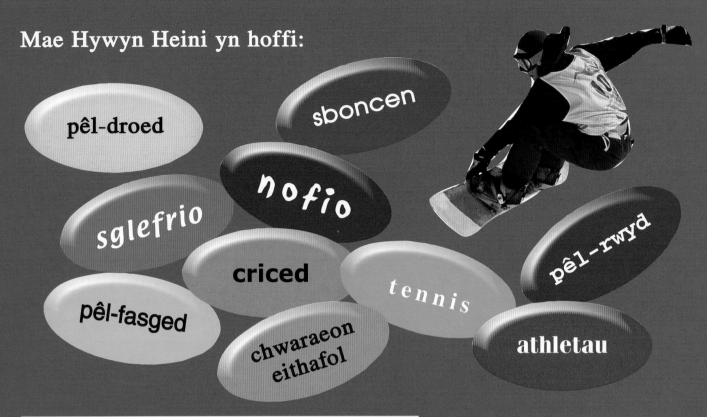

pêl-droed

sboncen

nofio

sglefrio

criced

tennis

pêl-rwyd

pêl-fasged

chwaraeon eithafol

athletau

Chwaraeon eithafol

Maen nhw'n gyffrous.
Maen nhw'n beryglus.

Beth ydy chwaraeon eithafol?
neidio *bungee,* gwneud triciau ar feic BMX, beicio mynydd, syrffio, canŵio neu rafftio ar afon wyllt

Ond …

… beth am smwddio eithafol?
Mae pobl yn smwddio
• yn y dŵr
• ar y mynydd
• yn y goedwig

eithafol	*extreme*
cyffrous	*exciting*
peryglus	*dangerous*
neidio	*jumping, (to) jump*
beicio mynydd	*mountain biking, (to) mountain bike*
afon wyllt	*wild river*
smwddio	*ironing, (to) iron*
mynydd	*mountain*
coedwig	*woods*

Mae Dougie Diog yn hoffi:

chwarae ar y cyfrifiadur

gwrando ar gryno ddisgiau

gwylio ffilm

chwarae ar y game boy

casglu posteri

chwarae ar y *play station*

edrych ar y teledu

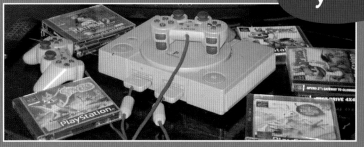

Casglu pethau

Mae llawer o bobl yn hoffi casglu pethau, e.e.

- stampiau
- posteri
- sticeri bananas
- tuniau pop
- pacedi creision
- potiau iogwrt

casglu   *(to) collect*

13

WYT TI'N ...? YDYCH CHI'N ...?
YDW. NAC YDW.

Cwestiwn	Ateb
Wyt ti'n chwarae pêl-droed?	Ydw.
Ydych chi'n chwarae pêl-droed?	Ydw, rydw i'n chwarae pêl-droed.
Wyt ti'n hoffi chwaraeon?	Ydw.
Ydych chi'n hoffi chwaraeon?	Ydw, yn fawr iawn.
Wyt ti'n mwynhau chwaraeon?	Ydw.
Ydych chi'n mwynhau chwaraeon?	Ydw, rydw i'n mwynhau chwaraeon.
	Ydw, rydw i'n mwynhau chwaraeon yn fawr.
	Rydw i wrth fy modd gyda chwaraeon, er enghraifft ...
	Nac ydw.
	Nac ydw, dydw i ddim yn mwynhau chwaraeon.
	Nac ydw, dydw i ddim yn mwynhau chwaraeon o gwbl.
	Nac ydw, rydw i'n casáu chwaraeon, yn enwedig ...
	Nac ydw, mae'n gas gyda fi chwaraeon, yn enwedig ...
	Nac ydw, mae'n gas gen i chwaraeon, yn enwedig ...

mwynhau	(to) enjoy
casáu	(to) hate
yn enwedig	especially

tud 18-19

Rydw i wrth fy modd gyda (+ enw) / Rydw i wrth fy modd efo (+ enw)
Rydw i wrth fy modd yn (+ berfenw)

Rydw i wrth fy modd gyda chwaraeon.	*I love games.*
Rydw i wrth fy modd gyda sboncen.	*I love squash.*
Rydw i wrth fy modd yn chwarae pêl-droed.	*I love playing football.*
Rydw i wrth fy modd yn chwarae sboncen.	*I love playing squash.*

tud 96

Mae'n gas gyda fi ... (+ treiglad meddal)
Mae'n gas gen i ... (+ treiglad meddal)

→ tud. 87

Mae'n gas gyda fi bêl-droed.	*I hate football.*
Mae'n gas gen i bêl-fasged.	*I hate basketball.*
Mae'n gas gyda fi fynd i'r gampfa.	*I hate going to the gym.*
Mae'n gas gen i redeg mewn ras.	*I hate running in a race.*

tud 113

Rhaid i ti ofyn 5 cwestiwn i dy bartner di, e.e.

Wyt ti'n mwynhau pêl-droed?
Wyt ti'n chwarae sboncen?
Beth wyt ti'n hoffi – pêl-droed neu athletau?

Rhaid i ti ddefnyddio'r geiriau yma.

athletau	*athletics*
bowlio deg	*tenpin bowling*
chwarae ar y cyfrifiadur	*(to) play on the computer*
chwarae ar y game boy	*(to) play on the game boy*
chwarae ar y play station	*(to) play on the play station*
gwylio'r teledu	*(to) watch the television*
gwrando ar gryno ddisgiau	*(to) listen to CDs*
nofio	*swimming*
pêl-droed	*football*
pêl-fasged	*basketball*
pêl-rwyd	*netball*
sboncen	*squash*

GWEITHGAREDD 2-3

neu + treiglad meddal

pêl-droed neu nofio	*football or swimming*
nofio neu **b**êl-droed	*swimming or football*
bowlio deg neu athletau	*tenpin bowling or athletics*
athletau neu **f**owlio deg	*athletics or tenpin bowling*

PRYD?

Cwestiwn	Ateb
Pryd wyt ti'n chwarae sboncen? **Pryd** ydych chi'n chwarae sboncen?	Ar ddydd Sadwrn. Rydw i'n chwarae sboncen ar ddydd Sadwrn. Rydw i'n chwarae sboncen ar ôl cinio ar ddydd Sadwrn.

Dyddiau'r wythnos

 tud 57

Dydd ...

dydd Sul
dydd Llun
dydd Mawrth
dydd Mercher
dydd Iau
dydd Gwener
dydd Sadwrn

... a nos

nos Sul
nos Lun
nos Fawrth
nos Fercher
nos Iau
nos Wener
nos Sadwrn

ar ...

ar ddydd
ar **dd**ydd Llun	*on Monday*
ar **dd**ydd Iau	*on Thursday*

ar nos
ar nos Wener	*on Friday night*
ar nos Sadwrn	*on Saturday night*

 tud 84-85

Dyddiau'r wythnos a'r planedau

Sul
(yr haul: **sol** – hen air
Lladin am yr haul)

Mercher
(Mercury)

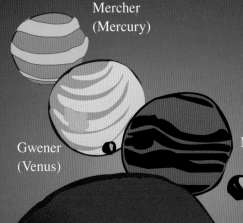

Gwener
(Venus)

Llun
(y lleuad: **luna** – hen air Lladin.
Beth am *lunar* a *lunatic?*)

Mawrth
(Mars)

Iau
(Jupiter)

Sadwrn
(Saturn)

Rhaid i ti ofyn 5 cwestiwn i bobl yn dy grŵp, e.e.

Pryd wyt ti'n chwarae pêl-droed?
Pryd wyt ti'n mynd i'r sinema?

ar ôl yr ysgol	*after (the) school*
ar ôl mynd adre	*after going home*
ar ôl cinio	*after lunch / dinner*
ar ôl te	*after tea*
ar ôl swper	*after supper*
gyda'r nos	*in the evening*
dros y penwythnos	*over the weekend*

ymarfer	*(to) train*
milltir	*mile*
ceisio	*(to) try*
os yn bosib	*if possible*

Marathon

Mae llawer o bobl yn mwynhau rhedeg marathon.
Maen nhw'n ymarfer llawer.
Dyma sut mae Siôn yn ymarfer – mae e'n mynd i redeg ym marathon Llundain.

'Ar nos Lun, nos Fawrth, nos Fercher, nos Iau a nos Wener, rydw i'n rhedeg 6 milltir. Rydw i'n ceisio rhedeg yn y bore hefyd, os yn bosib.
Ar fore Sadwrn, rydw i'n rhedeg gyda'r clwb rhedeg.
Ar fore Sul, rydw i'n rhedeg 15 – 20 milltir.'

GWEITHGAREDD 4-7

17

BLE?

Cwestiwn	Ateb
Ble wyt ti'n chwarae sboncen? **Ble** ydych chi'n chwarae sboncen?	Yn y gampfa. Yn y ganolfan hamdden. Yn y parc. Rydw i'n chwarae sboncen yn y ganolfan hamdden yn Llanelli.

GYDA PWY? / EFO PWY?

tud 57

Cwestiwn	Ateb
Gyda pwy wyt ti'n chwarae sboncen? **Gyda pwy** ydych chi'n chwarae sboncen?	gyda Sam a Lyn gyda ffrindiau gyda fy ffrindiau gyda'r tîm Rydw i'n chwarae sboncen gyda fy mrawd.
Efo pwy wyt ti'n chwarae sboncen? **Efo pwy** ydych chi'n chwarae sboncen?	efo fy ffrind efo Sam a Lyn, fy ffrindiau Rydw i'n chwarae sboncen efo fy mrawd a fy chwaer.

tud 57

Jiwdo

Mae jiwdo yn dod o Japan.
Mae'r bobl yn gwisgo siwt arbennig o'r
enw Gi – siaced a throwsus gwyn a
gwregys arbennig.
Mae lliw'r gwregys yn dangos pa mor dda
ydych chi, e.e.

      gwregys gwyn – dechreuwyr
yna   gwregys melyn
      oren
      gwyrdd
      glas
      brown
      du

gwisgo	(to) wear
siaced	jacket
gwregys	belt
pa mor dda	how good
dechreuwyr	novices, beginners

GWEITHGAREDD 8-10

PAM?

Cwestiwn	Ateb
Pam wyt ti'n hoffi chwarae sboncen?	**Achos** rydw i'n hoffi cadw'n heini.
	Rydw i'n hoffi chwarae sboncen **achos** rydw i'n hoffi cadw'n heini.
Pam ydych chi'n hoffi chwarae sboncen?	**Achos** mae'n gyffrous.
	Rydw i'n hoffi chwarae sboncen **achos** mae'n gyffrous.

ACHOS...

tud 57

mae'n grêt

mae'n hwyl

mae'n gyffrous

rydw i'n hoffi sialens

mae'n cŵl

rydw i'n mwynhau ymlacio

rydw i'n mwynhau cadw'n heini

rydw i'n cael hwyl

mae'n wych

rydw i'n hoffi bod tu allan

mae'n anturus

mae'n ddiddorol

Rydw i'n mwynhau cadw'n heini	I enjoy keeping fit
Rydw i'n mwynhau ymlacio	I enjoy relaxing
Rydw i'n cael hwyl	I have fun
Rydw i'n hoffi sialens	I like a challenge
Rydw i'n hoffi bod tu allan	I like being outdoors

GWEITHGAREDD 11

Siarad â grŵp

Mae Anna'n siarad â'r grŵp am feicio mynydd.
Rhaid i ti wrando ar beth mae hi'n ddweud.

yn y wlad	in the countryside
triciau	tricks
gwisgo	to wear
menig	gloves
llun	picture
mae e'n gyflym iawn	it's very fast

GWEITHGAREDD 12

Dyma beth mae Anna'n ddweud.
Mae hi wedi cynllunio yn ofalus.

Cynllun		BEICIO MYNYDD
dechrau	⇒	Helo, sut mae?
		Anna ydw i. Rydw i'n un deg dau oed.
beth	⇒	Rydw i'n hoffi beicio mynydd.
pryd	⇒	Rydw i'n mynd allan ar y beic ar ddydd Sadwrn ac ar ddydd Sul.
ble	⇒	Rydw i'n mynd i'r wlad. Rydw i'n beicio yn y goedwig. Weithiau rydw i'n beicio yn y dref. Rydw i'n hoffi gwneud triciau fel *wheelies* yn y parc.
gyda pwy	⇒	Rydw i'n mynd gyda Sam, fy ffrind, a Jane, fy chwaer.
dweud mwy	⇒	Rydw i'n hoffi beicio mynydd achos mae'n gyffrous.
		Rydw i'n gwisgo siorts a treinyrs.
		Rydw i'n gwisgo helmed – dyma'r helmed.
		Rydw i'n gwisgo sbectols – dyma'r sbectols.
		Rydw i'n gwisgo menig – dyma'r menig.
		Dyma lun o'r beic.
		Mae e'n gyflym iawn.

wedi cynllunio	has planned
yn ofalus	carefully
cynllun	(a) plan

GWEITHGAREDD 13-14

Nawr, rwyt ti'n mynd i siarad â'r grŵp.
Beth am ddilyn cynllun Anna?

YDY SAM YN …? YDY E'N …? YDY O'N …? YDY HI'N …? YDY. NAC YDY.

Cwestiwn	Ateb
Ydy Anna'n mwynhau beicio mynydd?	Ydy.
Ydy hi'n beicio ar ddydd Sadwrn?	Ydy, mae hi'n beicio ar ddydd Sadwrn.
Ydy Sam yn hoffi beicio mynydd?	Ydy.
Ydy e'n gwneud triciau ar y beic?	Ydy, mae e'n gwneud triciau ar y beic.
Ydy o'n gwneud triciau ar y beic?	Ydy, mae o'n gwneud triciau ar y beic.
Ydy Anna'n mynd ar y beic ar nos Wener?	Nac ydy.
	Nac ydy, dydy hi ddim yn mynd ar nos Wener – mae hi'n mynd ar ddydd Sadwrn.
Ydy John yn mwynhau beicio mynydd?	Nac ydy, dydy John ddim yn mwynhau beicio mynydd.
	Nac ydy, dydy e ddim yn mwynhau beicio mynydd.
	Nac ydy, dydy o ddim yn mwynhau beicio mynydd.

Beicio mynydd

Mae rhai pobl yn hoffi reidio beic mynydd yn y wlad.
Mae rhai pobl yn hoffi reidio beic mynydd yn y dref.
Mae rhai pobl yn hoffi gwneud triciau.

Beicio mynydd – y dechrau
Pryd? 1970au
Ble? California, America
Pwy? Grŵp o ffrindiau gyda beiciau – hen *beach cruisers*
Sut? Aeth y ffrindiau i fyny mynydd. Reidion nhw i lawr y mynydd. 'Dyma hwyl. Beth am fynd eto?' dwedodd un o'r ffrindiau.

A dyma ddechrau beicio mynydd!

yn y wlad	*in the countryside*
yn y dref	*in the town*
aeth	*went*
reidion nhw	*they rode*
i lawr	*down*
dwedodd	*said*

Sioc i Huw

gŵyl	*festival*	arbennig	*special*
syniad	*idea*	dyn, dynion	*man, men*
hyfryd	*lovely*	rhyfedd	*strange*
bendigedig	*wonderful*	cors	*bog*
rydw i wedi glanhau	*I have cleaned*	on'd wyt ti?	*don't you?*
yn barod	*ready*	eisiau	*(to) want*

Un bore, mae Aled yn darllen papur.

Mae e'n darllen am ŵyl feiciau yn Llanwrtyd.

Mae Huw yn hoffi beicio'n fawr.

Mae Lisa a Beca'n dod. Mae Huw yn dweud am yr ŵyl feiciau.

Mae Lisa'n gofyn cwestiynau am yr ŵyl feiciau.

Mae Lisa'n cael syniad ...

... mynd i Lanwrtyd. Mae Huw yn hoffi'r syniad achos mae e'n hoffi beicio yn fawr.

Beth am fynd?

Syniad da, rydw i'n hoffi mynd allan gyda fy ffrindiau!

Syniad da!

Dydd Sadwrn, mae Huw yn edrych yn smart iawn; mae e'n gwisgo dillad beicio newydd.

Mae beic Huw yn edrych yn smart hefyd.

Mae'r ffrindiau'n cerdded at grŵp o bobl.

Mae Huw yn gweld dau ddyn rhyfedd iawn. Mae mwd ar ddillad y dynion.

Mae dyn yn dod i fyny at Huw. Mae e'n rhoi siwt arbennig i Huw, a gogls a snorcel a beic arbennig. Dydy Huw ddim yn deall.

Yna, mae'r dyn yn dangos y gors. Dydy Huw ddim yn hapus iawn.

Nac ydy, dydy Huw ddim yn mwynhau o gwbl. Mae e'n beicio drwy'r mwd.

Dydy Huw ddim eisiau dod i Lanwrtyd i feicio eto!

23

RYDYN NI'N ... / DYDYN NI DDIM YN ...

Rydyn ni'n mynd i'r gampfa dros y penwythnos.

Rydyn ni'n chwarae sboncen bob nos Wener.

Dydyn ni ddim yn gwylio'r teledu bob nos.

Rydyn ni fel Hywyn Heini.

Dydyn ni ddim yn eistedd drwy'r amser.

Dydyn ni ddim fel Dougie Diog.

dros y penwythnos	over the weekend
fel	like (similar to)
drwy'r amser	all the time

Wel, ydy'r dosbarth fel Hywyn Heini neu Dougie Diog?

Dosbarth ...	
Hywyn Heini?	Dougie Diog?

Beth am gael dadl yn y dosbarth?

Grŵp 1:   **Rydyn ni fel Hywyn Heini.**
Rhaid i chi ddweud **pam** rydych chi'n bobl heini, e.e.
Rydyn ni'n cerdded i'r ysgol bob dydd.
Mae John yn nofio 500 metr bob nos.
Dydyn ni ddim yn gwylio'r teledu bob nos.
ac ati

Grŵp 2:   **Rydyn ni fel Dougie Diog.**
Rhaid i chi ddweud **pam** rydych chi'n bobl ddiog, e.e.
Rydyn ni'n edrych ar y teledu bob nos.
Rydyn ni'n eistedd o flaen y cyfrifiadur bob dydd.
Dydyn ni ddim yn cerdded digon.
ac ati

Mae'r tiwtor yn mynd i benderfynu ydy'r dosbarth fel Hywyn Heini neu Dougie Diog.

dadl	debate
bob dydd	every day
bob nos	every night
digon	enough
penderfynu	(to) decide

GWEITHGAREDD 17-18

24

Pwyntiau pwysig

Amser presennol y ferf:

Rydw i	Rydw i'n mynd i'r sinema.	*I go / I'm going to the cinema.*
Rwyt ti	Rwyt ti'n mynd i'r sinema.	*You're going to the cinema.*
Mae e / o	Mae e'n / o'n hoffi darllen.	*He likes reading.*
Mae hi	Mae hi'n hoffi dawnsio.	*She likes to dance.*
Mae John	Mae John yn hoffi mynd allan.	*John likes going out.*
Mae plant	Mae plant yn hoffi chwarae.	*Children like to play.*
Mae'r plant	Mae'r plant yn hoffi chwarae.	**The** *children like to play.*
Rydyn ni	Rydyn ni'n hoffi chwarae sboncen.	*We like playing squash.*
Rydych chi	Rydych chi'n gwylio'r teledu.	*You're watching the television.*
Maen nhw	Maen nhw'n gwrando ar gryno ddisgiau.	*They're listening to CDs.*

GWEITHGAREDD 19-23

... a'r negyddol ...

Dydw i ddim	Dydw i ddim yn mynd i'r sinema.	*I'm not going to the cinema.*
Dwyt ti ddim	Dwyt ti ddim yn chwarae.	*You're not playing.*
Dydy e / o ddim	Dydy e / o ddim yn chwarae.	*He isn't playing.*
Dydy hi ddim	Dydy hi ddim yn chwarae.	*She isn't playing.*
Dydy John ddim	Dydy John ddim yn chwarae.	*John isn't playing.*
Dydy plant ddim	Dydy plant ddim yn gweithio.	*Children don't work.*
Dydy'r plant ddim	Dydy'r plant ddim yn gwrando.	**The** *children aren't listening.*
Dydyn ni ddim	Dydyn ni ddim yn mynd allan.	*We're not going out.*
Dydych chi ddim	Dydych chi ddim yn chwarae.	*You're not playing.*
Dydyn nhw ddim	Dydyn nhw ddim yn mwynhau.	*They're not enjoying (themselves).*

GWEITHGAREDD 24-26

... a'r cwestiynau ...

Ydw i?	Ydw	*(Yes, I)*	Nac ydw	*(No, I)*	
Wyt ti?	Wyt	*(Yes, you)*	Nac wyt	*(No, you)*	
Ydy e / o?	Ydy	*(Yes, he / it)*	Nac ydy	*(No, he / it)*	
Ydy hi?	Ydy	*(Yes, she / it)*	Nac ydy	*(No, she / it)*	
Ydy John?	Ydy	*(Yes, John)*	Nac ydy	*(No, John)*	
Ydy plant?	Ydyn	*(Yes, they)*	Nac ydyn	*(No, they)*	
Ydy'r plant?	Ydyn	*(Yes, they)*	Nac ydyn	*(No, they)*	
Ydyn ni?	Ydyn	*(Yes, we)*	Nac ydyn	*(No, we)*	
Ydych chi?	Ydych	*(Yes, you)*	Nac ydych	*(No, you)*	
Ydyn nhw?	Ydyn	*(Yes, they)*	Nac ydyn	*(No, they)*	

> *Ydw i'n mynd?*
> *Nac wyt, dwyt ti ddim yn mynd.*

> *Ydy e'n chwarae?*
> *Nac ydy, dydy e ddim yn chwarae.*

> *Ydy'r disgyblion yn chwarae pêl-rwyd?*
> *Ydyn, maen nhw'n chwarae pêl-rwyd bob wythnos.*

> *Ydych chi'n mynd allan nos Sadwrn?*
> *Ydw, rydw i'n mynd allan i'r disgo.*
> *Ydyn, rydyn ni'n mynd allan i'r disgo.*

GWEITHGAREDD 27

Pryd?	Pryd wyt ti'n chwarae tennis?	*When do you play tennis?*
Ble?	Ble wyt ti'n mynd?	*Where are you going?*
Gyda pwy?	Gyda pwy wyt ti'n beicio?	*With who do you cycle?*
Pam?	Pam ydych chi'n mynd?	*Why are you going? Why do you go?*
Achos	Rydw i'n hoffi ... achos mae'n hwyl?	*I like ... because it's fun.*

GWEITHGAREDD 28-29

Rydw i wrth fy modd gyda / efo ...	Rydw i wrth fy modd gyda / efo chwaraeon.	*I love sport.*
Rydw i wrth fy modd yn ...	Rydw i wrth fy modd yn rhedeg.	*I love running.*
Mae'n gas gen i ... (+ treiglad meddal)	Mae'n gas gen i ddawnsio.	*I hate dancing.*
Mae'n gas gyda fi ... (+ treiglad meddal)	Mae'n gas gyda fi ddawnsio.	*I hate dancing.*

GWEITHGAREDD 30-31

3. GWYLIO'R TELEDU

Yn yr uned yma, rwyt ti'n mynd i wneud

- wal graffiti

- rhaglen fideo

POB LWC!

PRYD?

Pryd wyt ti'n gwylio'r teledu?

Trist!

Ar nos Lun a nos Fawrth a nos Fercher a nos Iau a nos Wener a nos Sadwrn a nos Sul …

| trist | sad |
| hefyd | also |

… hefyd ar fore Sadwrn a bore Sul.

Trist iawn.

iawn - *very*

trist iawn	*very sad*
da iawn	*very good*
cyffrous iawn	*very exciting*

GWEITHGAREDD 1

AM FAINT O'R GLOCH?

am ...

ddeuddeg o'r gloch
un ar ddeg o'r gloch
un o'r gloch
ddeg o'r gloch
ddau o'r gloch
naw o'r gloch
dri o'r gloch
wyth o'r gloch
bedwar o'r gloch
saith o'r gloch
bump o'r gloch
chwech o'r gloch

am ...

bum munud i
bum munud wedi
ddeng munud i / ddeg munud i
ddeng munud wedi / ddeg munud wedi
chwarter i
chwarter wedi
ugain munud i
ugain munud wedi
bum munud ar hugain i
bum munud ar hugain wedi
hanner awr wedi

tud 87-88

11 … 12 … 20 … 25

Gyda'r amser dydyn ni ddim yn dweud
un deg un, un deg dau, dau ddeg, dau ddeg pump.
Rydyn ni'n dweud

11 – **un ar ddeg** o'r gloch	20 *past* – **ugain** munud wedi
12 – **deuddeg** o'r gloch	25 *past* – **pum munud ar hugain** wedi

Geiriau bach defnyddiol

wedi	*past*	hanner awr **wedi** tri	
i (+ treiglad meddal)	*to*	chwarter **i** dri	→ tud. 87
am (+ treiglad meddal)	*at*	Rydw i'n gwylio'r teledu **am** bump o'r gloch.	→ tud. 87
o (+ treiglad meddal)	*from*	Rydw i'n gwylio'r teledu **o** bump o'r gloch ymlaen.	→ tud. 87
tan (+ treiglad meddal)	*until*	Mae Sam yn gwylio'r teledu **tan** ddeg o'r gloch bob nos.	→ tud. 87

GWEITHGAREDD 2 - 5

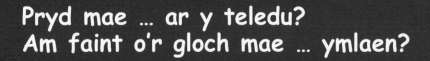

Pryd mae … ar y teledu?
Am faint o'r gloch mae … ymlaen?

Nos Sadwrn

Pryd mae'r newyddion ar y teledu heno?

Am chwarter wedi pump ac am ugain munud wedi deg.

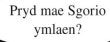

Pryd mae Sgorio ymlaen?

Ar nos Lun am naw o'r gloch.

Beth sy ar y teledu am …?
Beth sy ymlaen am …?

Beth am fynd allan heno?

Am faint o'r gloch?

Am wyth o'r gloch?

Beth sy ar y teledu am wyth o'r gloch heno?

Dydw i ddim yn gwybod.

Dydw i ddim eisiau mynd allan 'te. Dydw i ddim eisiau colli rhaglen dda.

eisiau	(to) want
colli	(to) miss
'te	then
rhaglen	programme
wel wir!	well honestly!

Wel wir!

GWEITHGAREDD 6-7

Pa fath o raglenni ...?

cartwnau

operâu sebon

rhaglenni chwaraeon

y newyddion

rhaglenni cwis

rhaglenni comedi

rhaglenni natur

rhaglenni cerddoriaeth

ffilmiau cowboi

ffilmiau ditectif

GWEITHGAREDD 8-9

Yr opera sebon

Roedd operâu sebon ar y radio yn y 1930au.
Roedd operâu sebon ar y teledu yn y 1950au.

Pam opera **sebon**?
Roedd cwmnïau sebon yn rhoi arian i'r rhaglenni.

Coronation Street
Roedd Coronation Street ar y teledu yn 1960.
Mae $\frac{1}{3}$ pobl Prydain yn gwylio Coronation Street heddiw!

roedd	was, were
cwmnïau sebon	soap companies
rhoi	(to) give
arian	money

Cartwnau Cymru

Mae Cymru'n enwog am wneud cartwnau. Beth am Sam Tân, y dyn tân o Bontypandy … neu Superted, y tedi clyfar o blaned arall? Beth am y Gogs, teulu o Oes y Cerrig, neu'r Enwog Ffred – cartŵn am gath yn canu pop? Maen nhw i gyd yn dod o Gymru.

A beth am *Gŵr y Gwyrthiau* – cartŵn am Iesu Grist? Mae llais yr actor enwog Ioan Gruffudd ar y cartŵn yma – fel llais Iesu Grist.

enwog	famous
dyn tân	fireman
Oes y Cerrig	Stone Age
i gyd	all
llais	voice
fel	as

James Bond yng Nghymru

Wyt ti'n hoffi ffilmiau James Bond? Maen nhw'n digwydd mewn lleoedd ecsotig fel Jamaica, Hawaii, Istanbul, Bangkok, Sbaen, Hong Kong … a Llangrannog! Ydy, mae rhan o'r ffilm *Die another Day* yn digwydd ar lan y môr Penbryn ger Llangrannog.

Hefyd … mae rhan o *From Russia with Love* yn digwydd yn Eryri!

digwydd	(to) happen
lleoedd	places
rhan	part
ger	near
Eryri	Snowdonia

Cwestiwn	Ateb
Pa fath o raglenni wyt ti'n hoffi? **Pa fath** o raglenni ydych chi'n gwylio ar y teledu?	Rydw i'n hoffi rhaglenni chwaraeon yn fawr. Rydw i wrth fy modd yn gwylio ffilmiau. Dydw i ddim yn hoffi rhaglenni cwis o gwbl. Mae'n gas gyda fi gartwnau. / Mae'n gas gen i gartwnau. Mae'n well gen i raglenni natur. / Mae'n well gyda fi raglenni natur.

tud 58-59

Mae'n well gen i ... (+ treiglad meddal)
Mae'n well gyda fi ... (+ treiglad meddal)

→ tud. 87

Mae'n gas gen i raglenni cwis. Mae'n well gen i raglenni natur.	*I hate quizzes. I prefer nature programmes.*
Mae'n gas gyda fi raglenni chwaraeon. Mae'n well gyda fi raglenni cerddoriaeth.	*I hate sports programmes. I prefer music programmes.*

tud 113

Rhaid i ti ofyn i 5 person yn y grŵp, e.e.

Pa fath o raglenni wyt ti'n hoffi?
Pa fath o raglenni dwyt ti ddim yn hoffi?
Rhaid i ti ysgrifennu'r atebion.
Beth mae'r bobl yn y grŵp yn hoffi?
Rhaid i ti ddweud wrth y dosbarth.

BETH WYT TI'N FEDDWL O …?
BETH YDYCH CHI'N FEDDWL O …?

gwych

doniol   cyffrous   bywiog

hwyl

diddorol   lliwgar

araf

anniddorol

twp l   diflas   gwastraff
gwirion   amser

plentynnaidd   trist

ofnadwy   sothach

yn + ansoddair neu enw = treiglad meddal → tud. 87

Mae Sgorio'n gyffrous.
Mae rhaglenni chwaraeon yn ddiddorol.
Maen nhw'n wych.

Dydy geiriau sy'n dechrau gyda **rh** a **ll** ddim yn treiglo.
Mae'r rhaglen yn rhagorol.
Mae'r rhaglen yn lliwgar.

GWEITHGAREDD 10

Beth wyt ti'n feddwl o Sgorio?
Gwych.
Mae Sgorio'n wych.

Beth wyt ti'n feddwl
o Coronation Street?
Diddorol iawn.
Mae Coronation Street yn
ddiddorol iawn.

Wyt ti'n hoffi cartwnau?
Nac ydw. Maen nhw'n
blentynnaidd.

Ydych chi'n hoffi operâu sebon?
Nac ydw. Maen nhw'n rhy araf!

rhy + treiglad meddal	*too*
rhy dwp	*too silly*
rhy wirion	*too silly*
rhy drist	*too sad*
rhy ddiflas	*too boring, too miserable*

→ tud. 87

GWEITHGAREDD 11-13

YN FY MARN I ...

Beth am roi **yn fy marn i** o flaen y disgrifiadau?

Mae rhaglenni comedi yn wych.   >   Yn fy marn i, mae rhaglenni comedi yn wych.
Comedies are great.   >   *In my opinion, comedies are great.*

Yn fy marn i, mae cartwnau'n blentynnaidd.
In my opinion, cartoons are childish.

Yn fy marn i, dydy operâu sebon ddim yn realistig iawn.
In my opinion, soap operas aren't very realistic.

GWEITHGAREDD 14

MEDDWL BOD

Rydw i'n **meddwl bod** rhaglenni comedi'n wych.
*I **think that** comedies are great.*

Dydw i ddim yn **meddwl bod** operâu sebon yn realistig.
*I don't **think that** soap operas are realistic.*

Dydw i ddim **yn meddwl bod** rhaglenni natur yn ddiddorol achos maen nhw'n rhy araf.
*I don't **think that** nature programmes are interesting because they're too slow.*

GWEITHGAREDD 15-16

Beth am wneud wal graffiti?

Mae'r tiwtor yn mynd i baratoi wal arbennig.
Ar y wal, rwyt ti'n mynd i ysgrifennu beth rwyt ti'n feddwl o raglenni arbennig, e.e.

| paratoi | (to) prepare |

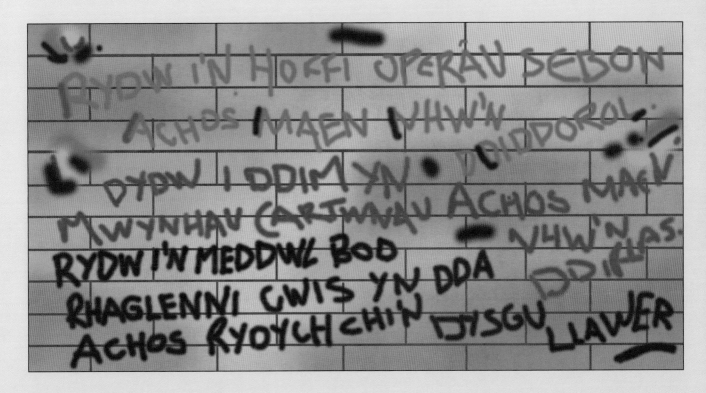

Y Siwperseren

siwperseren	*superstar*	wrth draed	*at the feet of*
mewn	*in a*	eisiau	*(to) want*
chwilio am	*(to) look for*	trefnu	*(to) arrange*
ifanc	*young*	dweud	*(to) say*
edrychwch	*look (command form)*	pwdlyd	*sulky*
syrthio	*(to) fall*	chwerthin	*(to) laugh*

Mae hi'n ddydd Llun. Mae Huw yn gweld poster ar y wal yn y coridor. Mae'r poster yn sôn am **Ffilmiau Ffantastig** – maen nhw'n chwilio am actor ifanc.

Mae Huw yn meddwl bod hyn yn ddiddorol. Mae e'n hoffi actio.

Mae e eisiau bod yn siwperseren!

Dydy Aled, Beca a Lisa ddim yn siŵr am Huw yn actio.

Huw yn actio? Dydw i ddim yn meddwl!

Mae merched yn mynd i syrthio wrth draed Huw? Dydw i ddim yn meddwl!

Soffistigedig … cŵl? Dydw i ddim yn meddwl!

Mae Huw yn ffonio Ffilmiau Ffantastig. Mae e'n trefnu i fynd i'r stiwdio dydd Sadwrn.

Helo, Huw Jones yma. Rydw i'n mynd i Ysgol Brynbach ac rydw i'n ddeuddeg oed. Rydw i eisiau actio yn y ffilm.

Rhaid i ti ddod i'r stiwdio dydd Sadwrn, am ddeg o'r gloch.

Dydd Llun wedyn, mae Beca, Lisa ac Aled yn gofyn i Huw am Ffilmiau Ffantastig.

Haia, Huw.

Sut hwyl?

Wel?

Dydy Huw ddim yn dweud llawer.

Wyt ti'n actio yn y fflim?

W-e-e-l, nac ydw.

Pam?

Yna, mae e'n dweud popeth. Mae Ffilmiau Ffantastig yn chwilio am actor ifanc i actio picsi pwdlyd mewn rhaglen i blant bach tair oed.

Maen nhw eisiau bachgen 12 oed i actio … Pip y Picsi Pinc Pwdlyd.

Adran A

Mae Aled, Beca a Lisa'n chwerthin. Dydy Huw ddim yn mynd i fod yn siwperseren!

Dydy picsis ddim yn cŵl.

Dydy picsis ddim yn soffistigedig.

Dydy merched ddim yn mynd i syrthio wrth draed Pip y Picsi Pinc Pwdlyd!

Gwneud fideo

Beth am wneud rhaglenni teledu a recordio'r rhaglenni ar fideo?

Dyma **rai** syniadau i chi:

Grŵp 1: Y Tywydd

Beth am siarad am y tywydd?

Sut i ddisgrifio'r tywydd

rhai	*some*
y tywydd	*the weather*

Heddiw ...

mae hi'n braf	mae hi'n heulog	mae hi'n sych
mae hi'n gynnes	mae hi'n boeth	mae hi'n stormus

mae hi'n niwlog	mae hi'n wlyb mae hi'n bwrw glaw	mae hi'n oer
mae hi'n rhewi	mae hi'n bwrw eira	mae hi'n bwrw cenllysg mae hi'n bwrw cesair

Ddoe ...

Roedd hi'n oer ddoe – tair gradd Celsius.
Neithiwr, **roedd hi'n** oer iawn.
Roedd hi'n rhewi yng Nghymru ac **roedd hi'n** bwrw eira
yn y Gogledd.

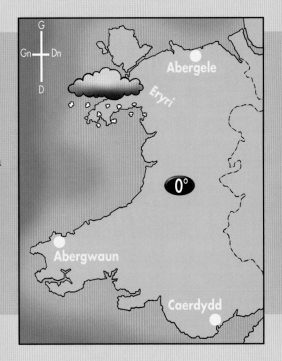

tud 24-25

Yfory ...

Bydd hi'n braf yfory.
Bydd hi'n gynnes iawn yn y Gogledd – tua un deg wyth gradd
Celsius.
Yn y De, **bydd hi'n** boeth – tua dau ddeg pedwar gradd Celsius.
Nos yfory, **bydd hi'n** gynnes ym mhob man.

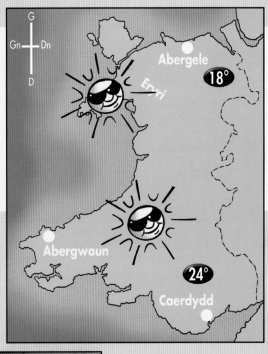

tud 40

| tair gradd Celsius | *three degrees Celsius* |
| ym mhob man | *everywhere* |

Beth am edrych ar y teledu heno i wylio'r tywydd ar S4C?

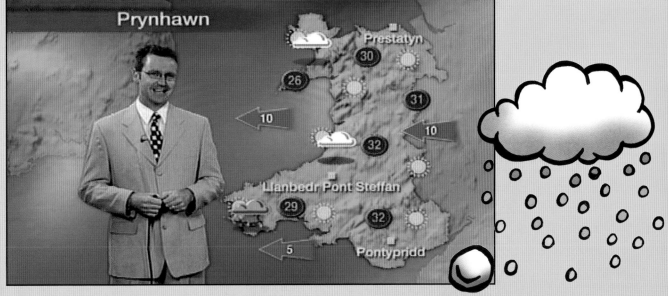

GWEITHGAREDD 17-18

Grŵp 2: Cwis

Beth am wneud rhaglen gwis?

Rhaid i chi ysgrifennu cwestiynau.

Ble? **Faint?** **Gyda pwy?**

Pryd?

Beth? **Pwy?**

Ble mae ...	*Where is ...?*
	Where are ...?
Ble mae'r ...	*Where is the ...?*
	Where are the ...?
Noson Tân gwyllt	*Bonfire Night*

Cwestiwn + MAE

Ble mae ...?	**Ble mae** Elland Road?
	Ble mae'r Taj Mahal?
O ble ... mae ...?	**O ble mae** coffi'n dod?
	O ble mae'r trên yn mynd i Hogwarts?
Gyda pwy mae ...?	**Gyda pwy** mae (. . .) yn chwarae?
Pryd mae ...?	**Pryd mae** Noson Tân gwyllt?

 tud 57

GWEITHGAREDD 19-20

tud 55

baner — flag
pencampwr — champion

Cwestiwn + YDY

Beth ydy … (+ enw)?

Beth ydy *lasagne*?
Beth ydy … yn Gymraeg?
Beth ydy arian Ewrop?
Beth ydy lliwiau baner Ffrainc?

Pwy ydy … (+ enw)?

Pwy ydy capten tîm rygbi Cymru?
Pwy ydy pencampwr snwcer Prydain?
Pwy ydy Scrappy Doo?

GWEITHGAREDD 21-22

Cwestiwn + SY

Pwy sy'n (+ berfenw)?
Pwy sy (+ ar / yn / mewn)?
Beth sy'n (+ berfenw)?

Beth sy (+ ar / yn / mewn)?

Pwy sy'n actio yn *X Men*?
Pwy sy yn *X Men*?
Beth sy'n gwneud gwyrdd –
melyn a glas neu oren a du?
Beth sy mewn colslo?

tud 56

mewn ac **yn**

mewn – *in a (indefinite)*
mewn ffilm – *in a film*
mewn tîm – *in a team*
yn – *in (definite)*
yn Elland Road – *in Elland Road*
yn y grŵp – *in the group*

tud 102

GWEITHGAREDD 23-25

Grŵp 3: Opera sebon

Beth am wneud opera sebon syml?

Beth am ysgrifennu sgript?

Beth am ddysgu'r sgript cyn recordio?

Helo, sut mae?

Pwy ydych chi?
… ydw i.
A chi?

Ydych chi'n byw yn …?
Nac ydw, rydw i'n byw yn …
A chi?

Ydych chi'n hoffi …?
Ydw. / Nac ydw.

Beth am ddod gyda fi i'r …?
Diolch yn fawr. / Dim diolch.

Wela i chi. / Da boch chi.

Grŵp 4: Rhaglen gylchgrawn

Beth am wneud rhaglen gylchgrawn?

Beth am siarad â 'rhywun enwog' (dy bartner di), e.e.

rhaglen gylchgrawn

magazine programme

Heno, rydw i'n siarad â …

Mae e'n / Mae o'n / Mae hi'n …

pa fath o raglenni?

byw?

hoffi?

gweithio nawr?

rydych … rwyt

Rhaid i ti ddefnyddio **rydych** yn lle **rwyt**.
(Dwyt ti ddim yn nabod y person enwog yma!)

Grŵp 5: Beth sy ar y teledu

Beth am ddweud beth ydy'r rhaglenni ar y teledu, e.e.

Am chwech o'r gloch, mae'r tywydd gyda (Samantha Smith).

Yna, am bum munud wedi chwech mae opera sebon. Heno, mae yn ….

Am hanner awr wedi chwech, mae'r cwis 'Cwestiynau, Cwestiynau.' Heno, mae 2 dîm o … ar y rhaglen.

Pwyntiau pwysig

Gofyn cwestiynau

Pryd …?	wyt ti'n	Pa fath o raglenni wyt ti'n hoffi?
Am faint o'r gloch …?	ydych chi'n	Pam ydych chi'n hoffi ffilmiau?
Pa fath o …? (+ treiglad meddal)	mae	Pryd mae'r newyddion?
Pam?	mae'r	Am faint o'r gloch mae'r rhaglen gwis?

+

Yr amser

am + treiglad meddal	**am b**ump o'r gloch	*at five o'clock*
i + treiglad meddal	**i dd**eg	*to ten*
o + treiglad meddal	**o b**edwar o'r gloch	*from four o'clock*
tan + treiglad meddal	**tan dd**euddeg o'r gloch	*until twelve o'clock*

GWEITHGAREDD 26

Beth wyt ti'n feddwl o …?	*What do you think of …?*
Beth wyt ti'n feddwl o gartwnau?	*What do you think of cartoons?*

yn + treiglad meddal

Mae operâu sebon **yn dd**iddorol.	*Soap operas are interesting.*

GWEITHGAREDD 27-28

Yn fy marn i …

Yn fy marn i, mae cartwnau yn blentynnaidd.	*In my opinion …* *In my opinion, cartoons are childish.*

Meddwl bod

	(to) think that
Rydw i'n **meddwl bod** ffilmiau cowboi yn wych.	*I think that westerns are great.*
Dydw i ddim yn **meddwl bod** rhaglenni cwis yn ddiddorol.	*I don't think that quiz shows are interesting.*

GWEITHGAREDD 29

Y tywydd

Heddiw, mae hi'n braf.	*Today, it's fine.*
Ddoe, roedd hi'n oer.	*Yesterday, it was cold.*
Yfory, bydd hi'n bwrw eira.	*Tomorrow, it will snow.*

Cwestiwn + MAE

Ble mae ...?	Ble mae Timbuktu?	*Where's Timbuktu?*
O ble mae ...?	O ble mae reis yn dod?	*Where does rice come from?*
Pryd mae ...?	Pryd mae Calan Gaeaf?	*When is Halloween?*

Cwestiwn + YDY

| Pwy ydy ...? | Pwy ydy capten *West Ham*? | *Who's the captain of West Ham?* |
| Beth ydy ...? | Beth ydy ... yn Gymraeg? | *What's ... in Welsh?* |

Cwestiwn + SY

Pwy sy'n ...?	Pwy sy'n canu . . .?	*Who sings . . .?*
Pwy sy ...?	Pwy sy yn y ffilm . . .?	*Who is in the film . . .?*
Beth sy'n ...?	Beth sy'n digwydd ar Rhagfyr 25?	*What happens on December 25?*
Beth sy ...?	Beth sy ar faner Cymru?	*What's on the Welsh flag?*

GWEITHGAREDD 30-31

mewn ac yn

Mae hi'n actio **mewn** rhaglen

Mae hi'n actio **yn y** rhaglen.

*She acts **in a** programme.*

*She acts **in the** programme.*

GWEITHGAREDD 32-33

4. Yn yr ysgol

Yn yr uned yma, rwyt ti'n mynd i

- ysgrifennu taflen wybodaeth am yr ysgol – ar gyfer disgyblion Blwyddyn 6 mewn ysgol gynradd leol

neu

- roi gwybodaeth am yr ysgol ar y we

POB LWC!

Rhaid i ti ofyn cwestiynau i bobl yn y grŵp.

Wyt ti'n hoffi'r ysgol?
Ydw.
Ydw, rydw i'n hoffi'r ysgol.
Nac ydw, dydw i ddim yn hoffi'r ysgol.

Beth wyt ti'n hoffi yn yr ysgol?
Rydw i'n hoffi …
Rydw i'n mwynhau …
Rydw i wrth fy modd yn …
Rydw i wrth fy modd gyda …

Beth wyt ti'n gasáu yn yr ysgol?
Rydw i'n casáu …
Mae'n gas gen i …
Mae'n gas gyda fi …

CODI YN Y BORE

ffrindiau da

gwisg ysgol

amser egwyl

mathemateg

ysgrifennu

siarad

bwyd ysgol

darllen

dysgu sgiliau

gwaith cartref

GWEITHGAREDD 1

44

Hoff bwnc / cas bwnc

Cwestiwn	Ateb
Beth ydy dy **hoff bwnc** yn yr ysgol?	Chwaraeon.
Beth ydy dy **hoff bynciau** yn yr ysgol?	Chwaraeon ydy fy hoff bwnc.
	Rydw i'n hoffi chwaraeon yn fawr.
	Rydw i'n hoff iawn o chwaraeon.
Beth ydy dy **gas bwnc** yn yr ysgol?	Drama.
Beth ydy dy **gas bynciau** yn yr ysgol?	Drama ydy fy **ngh**as bwnc.
	Rydw i'n casáu chwaraeon.
	Mae'n gas gen i hanes. / Mae'n gas gyda fi hanes.

Pam …?

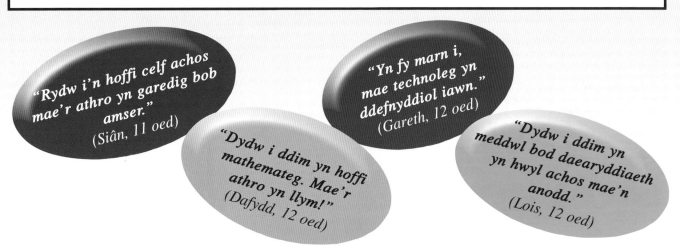

achos mae'n ddiddorol	achos mae'n ddiflas
achos mae'n hawdd	achos mae'n anodd
achos mae'n ddefnyddiol	achos mae'n wastraff amser
achos mae'n gyffrous	achos mae'n ofnadwy
achos mae'r athro / athrawes yn garedig	achos mae'r athro / athrawes yn llym

"Rydw i'n hoffi celf achos mae'r athro yn garedig bob amser."
(Siân, 11 oed)

"Yn fy marn i, mae technoleg yn ddefnyddiol iawn."
(Gareth, 12 oed)

"Dydw i ddim yn hoffi mathemateg. Mae'r athro yn llym!"
(Dafydd, 12 oed)

"Dydw i ddim yn meddwl bod daearyddiaeth yn hwyl achos mae'n anodd."
(Lois, 12 oed)

Rhaid i ti ofyn cwestiynau i bobl yn y grŵp.

cytuno gyda / efo	*(to) agree with*
anghytuno gyda / efo	*(to) disagree*
meddwl bod	*(to) think that*

Beth ydy dy hoff bwnc di? Pam?
Beth ydy dy gas bwnc di? Pam?
Wyt ti'n cytuno?
Beth ydy hoff bynciau pobl yn y grŵp?

GWEITHGAREDD 2-7

45

"Rydw i'n casáu dydd Llun!!"

gwenwch	smile (command form)	rydw i wedi colli	I've missed
mwynhewch	enjoy (command form)	pob man	everywhere
rydw i'n sâl	I'm ill	yn dawel	quiet
dydw i ddim yn gallu	I can't	yn hwyr	late
byddi di'n well	you'll be better	dim byd	nothing
crys	shirt	diwrnod HMS	training day for teachers

O na! Mae hi'n chwarter i wyth. Chwarter i wyth dydd Llun!! Dwy wers hanes, mathemateg a gwaith cartref gwyddoniaeth. Help!!

Huw, mae hi'n chwarter wedi wyth! Mae'r bws yn mynd mewn deg munud!

Bore da bobl – mae hi'n hanner awr wedi wyth yn y bore. Felly, gwenwch a mwynhewch! Dydd Llun braf!

Oooo! Dydw i ddim eisiau codi!? Rydw i'n casáu dydd Llun.

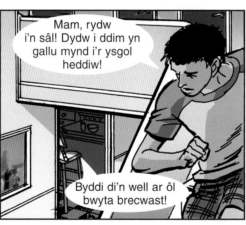

Mam, rydw i'n sâl! Dydw i ddim yn gallu mynd i'r ysgol heddiw!

Byddi di'n well ar ôl bwyta brecwast!

Mae'n gas gyda fi ddydd Llun.

Mam, mae inc ar y crys … mae sôs coch ar y crys arall. Dydw i ddim yn gallu mynd i'r ysgol – dim crys!

Dyma ti – crys glân neis.

Ond mam, mae hi'n naw o'r gloch. Rydw i wedi colli'r bws!

Beth am gerdded?

Mam, mae hi'n bwrw glaw ac mae hi'n oer. Rydw i'n mynd i ddal annwyd.

Dyma ti – côt law. Hwyl fawr!

Ych a fi!

O hec, mae hi'n hanner awr wedi naw. Mae pob man yn dawel ac rydw i'n hwyr iawn! Rydw i'n casáu dydd Llun!

YSGOL BRYNBACH

Huw Jones – Beth wyt ti'n wneud yma?

Dim byd, Mr Lloyd. Rydw i'n hwyr!

Bore da, bawb. Mae hi'n ddiwrnod HMS arall a chroeso arbennig i Mr Gareth Bowen. Mae Mr Bowen yn mynd i siarad am …

Adran A

Diwrnod i ffwrdd – gwych!

Haia Jane. Beth am fynd i'r sinema?

Mae'n well gyda fi sglefrio na mynd i'r ysgol.

Dydd Llun braf? Hy! Mae'r boi yna ar y radio yn dwp!

RHEOLAU'R YSGOL

Rheolau i'r plant

✓	✗
Rhaid gwisgo gwisg ysgol **Rhaid** cerdded yn y coridorau **Rhaid** bod yn brydlon **Rhaid** bod yn gwrtais **Rhaid** gwrando ar yr athrawon	**Dim** gwm cnoi **Dim** rhedeg yn y coridorau **Dim** treinyrs **Dim** gemwaith **Dim** ysmygu **Dim** colur

Rheolau'r ysgol

Rheolau, rheolau, rheolau
Dim gweiddi
Dim rhedeg
Dim cnoi.

Rhaid gwrando
Rhaid gweithio
Rhaid gwisgo gwisg ysgol.

Rheolau
Pwy sy eisiau nhw?
Dim ni!!!

gwisg ysgol	school uniform
yn brydlon	on time
cwrtais	polite
gemwaith	jewellery
ysmygu	smoking
colur	make-up

GWEITHGAREDD 8-9

Yr ysgol ddelfrydol

Ond beth am reolau i'r athrawon?

✓	✗
Rhaid cerdded yn y coridorau **Rhaid** gwenu **Rhaid** gwrando **Rhaid** gwisgo tei **Rhaid** bod yn brydlon **Rhaid** bod yn neis bob amser	**Dim** gweiddi **Dim** rhedeg yn y coridorau **Dim** gyrru ar y buarth **Dim** gormod o waith cartref **Dim** yfed coffi yn y dosbarth **Dim** gwisgo treinyrs

neu beth am ddweud mwy,? e.e.

Rhaid gwrando.
Rhaid gwrando ar y plant.
Rhaid gwrando'n ofalus.
Rhaid gwrando'n ofalus ar y plant.

bob amser *always*

✓	✗
Rhaid cerdded **yn araf** yn y coridorau **Rhaid** gweithio**'n galed** **Rhaid** gwrando**'n ofalus** ar y plant	**Dim** gweiddi**'n uchel** **Dim** rhedeg **yn gyflym** yn y coridorau **Dim** gyrru**'n wyllt** ar y buarth

gwrando ar
(to) listen to

gweiddi ar
(to) shout at

gyrru
(to) drive

marcio
(to) mark

cerdded
(to) walk

siarad
(to) speak

gweithio
(to) work

gwisgo
(to) wear

yn ofalus
carefully

bwyta
(to) eat

yn gyflym
quickly

yn wyllt
wildly

yn dda
well

yn garedig
kind

yn daclus
tidily

yn galed
hard

yn dawel
quietly

GWEITHGAREDD 10

GWISG YSGOL

Beth mae bechgyn yn wisgo?

siaced ddu

sanau gwyn

trowsus llwyd

crys gwyn

esgidiau du

tei ysgol

Mae bechgyn yn gwisgo trowsus llwyd, crys gwyn a siaced ddu.

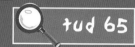 tud 65

Beth mae merched yn wisgo?

trowsus du

esgidiau du

crys gwyn

teits llwyd

tei ysgol

siwmper goch

Mae merched yn gwisgo sgert lwyd a blows wen.

DILLAD	LLIWIAU
sgert	goch
siwmper	las
siaced	lwyd
cot	las
tracwisg	frown
	ddu
	borffor
	biws

tywyll *(dark)*	glas tywyll
	gwyrdd tywyll
golau *(light)*	glas golau
	gwyrdd golau

DILLAD	LLIWIAU
trowsus	coch
crys	melyn
tei	gwyrdd
esgidiau	llwyd
sanau	glas
teits	brown
crys T	du
crys chwys	gwyn
jîns	porffor
crys polo	piws
	hufen

enw (crys, esgidiau) + ansoddair

crys du   esgidiau brown
trowsus llwyd

tud 65

Rydw i'n gwisgo trowsus glas tywyll, crys glas golau a siwmper las tywyll.

Gwisg Ysgol

✓	✗
mae'n smart	mae'n hen ffasiwn
mae'n daclus	mae'n ddiflas
mae'n gyfforddus	mae'n anghyfforddus
mae pawb yr un fath	mae pawb yr un fath
	mae'n ddrud
does dim ffws	
does dim cystadleuaeth	

Gwisg ysgol

"Rydw i'n hoffi gwisg ysgol. Does dim ffws yn y bore!"

"Wel, mae'n gas gyda fi wisgo gwisg ysgol! Ac mae'n gas gyda fi wisgo tei! Wyt ti'n cytuno?"

"Rydw i'n cytuno gyda Huw - mae'n well gyda fi wisgo dillad eraill."

"Rhaid cael gwisg ysgol! Mae pawb yn edrych yn smart. Mae pawb yn edrych yr un fath."

GWEITHGAREDD 11-12

Rhaid i ti siarad â'r grŵp.

Beth wyt ti'n feddwl?

llosgi	*(to) burn*
yn bert = yn ddel	*(looking) pretty*
'run fath â	*the same as*

Gwisg ysgol

Dw i'n mynd i losgi
Fy ngwisg ysgol i,
Y tei, crys a'r sgert,
Mynd yno yn bert
Mewn jîns a *sweater*
'Run fath â Lisa
'Run fath â Linda
'Run fath â Julia.

Gwyn Morgan
(*'Tawelwch' taranodd Miss Tomos*, tud. 37)

Cwestiwn	Ateb	
Beth hoffet ti wisgo?	**Hoffwn i** wisgo	jîns, treinyrs a siwmper liwgar
Beth hoffech chi wisgo?		tracwisg las a treinyrs
		trowsus a siwmper gyfforddus
		dillad ffasiynol, colur a gemwaith

tud 47

GWEITHGAREDD 13-14

YSGOL YN FFRAINC

Mae Beca'n hoffi ysgrifennu at ei ffrind post, Philippe. Mae e'n byw yn Llydaw.
Mae Mam Philippe yn dod o Gymru ac mae hi'n siarad Cymraeg a Llydaweg gyda Philippe.

Ffrind post Beca

ENW LLAWN	Philippe Henri Duvant
OED	Deuddeg (Pen-blwydd : Mai un deg naw)
TEULU	Tad (rheolwr gwesty), mam (nyrs), brawd (Jaques) a chwaer (Hélène)
HOFF BYNCIAU YSGOL	Llydaweg, gwyddoniaeth a chwaraeon
CAS BYNCIAU YSGOL	daearyddiaeth a mathemateg
HOBÏAU	pêl-droed, gemau cyfrifiadur a gwylio ffilmiau

Mae Beca'n cael neges e-bost oddi wrth Philippe.
Mae'n sôn am fynd i'r ysgol yn Llydaw.

From: familleduvant@worlddirect.com

Date: 13.3 17.50pm

To: beca@nflworld.com

Subject: Helo, Beca

Pnaose Man Ar Bed Beca!

Diolch am dy lythyr. Rydw i'n hoffi cael post o Gymru – mae'n gyffrous. Diolch hefyd am y
siocled a'r posteri i'r ysgol.

Roeddet ti'n gofyn am yr ysgol yn Llydaw. Wel, rydyn ni'n dechrau yn gynnar yn y bore.
Rydyn ni'n cael 4 gwers yn y bore cyn cinio. Rydw i'n hoffi amser cinio – dwy awr. Mae'n grêt
ac mae pawb, bron, yn mynd adref achos mae digon o amser!! Wedyn mae gwers gyda ni yn y
prynhawn. Rydyn ni'n gweithio bore dydd Sadwrn hefyd. Dydy mynd i'r ysgol ar ddydd
Sadwrn ddim yn hwyl - yn enwedig yn yr haf!

Rydyn ni'n dysgu llawer o bynciau. Rydw i'n dysgu Saesneg a Sbaeneg fel ieithoedd modern a
hefyd rydw i'n dysgu Lladin. Mae fy chwaer yn dysgu Saesneg, Sbaeneg a Groeg. Dydw i
ddim yn hoffi daearyddiaeth o gwbl (mae'n ddiflas) ac mae'n gas gyda fi waith cartref.
Rydyn ni'n cael llawer o waith cartref – mwy na chi yng Nghymru.

Diolch am y copi o dy amserlen di. Mae'n edrych yn hwyl, yn enwedig dydd Iau - chwaraeon a
drama. Dydyn ni ddim yn cael gwersi drama ar yr amserlen, ond mae clwb drama bob nos Iau
am hanner awr wedi pedwar. Does dim clybiau amser cinio - dim ond clybiau ar ôl yr ysgol.

O ie, diolch hefyd am y llun. Rwyt ti a dy ffrindiau yn edrych yn smart iawn yn eich gwisg ysgol!! Ha ha! Dydyn ni ddim yn gwisgo gwisg ysgol – diolch byth. Rydw i'n gwisgo jîns neu ddillad chwaraeon bob dydd. Gwisg ysgol – dim diolch. Rydw i'n mynd i aros yn yr ysgol yn Llydaw. Dim gwersi drama, ond dim gwisg ysgol!!

Reit, rhaid mynd. Rydw i'n helpu Dad yn y gwesty heno.

Cofia ysgrifennu – a beth am anfon llun arall o'r wisg ysgol efallai!! Mae fy ffrindiau'n hoffi lluniau.

Kenavo

Philippe

roeddet ti'n gofyn	you were asking
yn gynnar	early
bron	almost
yn enwedig	especially
iaith, ieithoedd	language,-s
does dim	there aren't any
diolch byth	thank goodness

Geiriau Llydaweg

pnaose man ar bed = shwmae
kenavo = wela i di / hwyl

Yn fy marn i, mae plant yn Llydaw yn lwcus.

Pam?

Dydyn nhw ddim yn gwisgo gwisg ysgol!

GWEITHGAREDD 15-18

CLYBIAU'R YSGOL

CLWB DRAMA

Bob amser cinio dydd Mawrth
Yn y Stiwdio Ddrama

Ydych chi'n hoffi actio?
Ydych chi'n hoffi meim?
Dewch i'r Clwb Drama yn y Stiwdio Ddrama.

ARWEINWYR:
Sara Evans a Dafydd Lloyd, Blwyddyn 13

CLWB CYFRIFIADURON

Dewch i weld y gemau newydd!
Dewch i ddysgu sgiliau newydd!
Dewch i gael hwyl!

Croeso cynnes
i bawb

Amser cinio bob dydd Iau

Rydyn ni'n chwilio am bobl ifanc i gymryd rhan mewn cwis ysgolion uwchradd

Oed: Blwyddyn 7-8
Dyddiad y cwis: Ebrill 12
Thema'r cwis: Canu Pop

Rydyn ni eisiau tîm da.
Bydd 5 person mewn tîm.

Ydych chi eisiau bod yn un o'r pump?

Dewch i weld Miss Ffion Lewis yn Ystafell 117, amser cinio dydd Llun.

dewch	come (command form)
arweinwyr	leaders
cymryd rhan	(to) take part

Rhaid i ti ofyn cwestiynau i bobl yn y grŵp.

Wyt ti'n mynd i glwb ysgol?

Pryd?

Ble?

Pa glwb?

Beth sy'n digwydd?

Pwy sy'n mynd?

GWEITHGAREDD 19

Cwestiwn	Ateb
Hoffet ti ddod i'r Clwb Cyfrifiaduron? Hoffech chi ddod i'r Clwb Drama?	Hoffwn, hoffwn i ddod i'r Clwb Cyfrifiaduron. Na hoffwn, hoffwn i ddim dod i'r Clwb Drama.

GWEITHGAREDD 20

Gwneud taflen / rhoi gwybodaeth ar y we

Rwyt ti **wedi** darllen am yr ysgol.

Rwyt ti **wedi** siarad am yr ysgol.

Nawr, beth am ysgrifennu taflen ar yr ysgol ar gyfer disgyblion Blwyddyn Chwech

neu

beth am roi gwybodaeth am yr ysgol ar y we?

GWEITHGAREDD 21

Dyma ychydig o help i ti:

Tudalen 1
Croeso i Ysgol ....……
Welcome to .... School
Ein cyfeiriad ydy ....…
Our address is ....
Ein rhif ffôn ydy ....…...
Our phone number is ....
Ein rhif ffacs ydy ....…...
Our fax number is ....
Ein cyfeiriad e-bost ydy ....……
Our e-mail address is ....
Ein gwefan ydy ....
Our website is ....
Rhif ffôn Ysgol ...... ydy ....
The phone number of ...... School is ....
Rhif ffacs / cyfeiriad e-bost / gwefan Ysgol ...... ydy ...
The fax no./e-mail address/website of ...... School is ...

Tudalen 2
Enw'r pennaeth ydy ....
The name of the Head teacher is ....
Enw'r athro hanes ydy ....
The name of the history teacher is ....
Mae .... yn dysgu ....….
.... *teaches* ....
Mae e'n ....…… *He is* ....
Mae hi'n ....…. *She is* ....
Ein gwisg ysgol ydy ....…
Our school uniform is ....
Rydyn ni'n gwisgo ....
We wear ....
Mae'r bechgyn yn gwisgo ....
Mae'r merched yn gwisgo ....…...

Tudalen 3
Rydyn ni'n astudio ....…...........
We study ....
Rydyn ni'n dysgu ....…......
We learn ....
Ein hoff bynciau ydy ....
Our favourite subjects are ....
Dyma ein hoff bynciau.
Here are our favourite subjects.
Dyma farn disgyblion dosbarth ...
Here are the opinions of class ...

Tudalen 4
Rheolau'r ysgol
School rules
Rhaid ....…
(You) must ....
Dim ....…
No ....
Dyma ein bwydlen ysgol.
Here is our school menu.
Dyma ein clybiau ysgol.
Here are our school clubs.

FY YSGOL I

Mae'r plant yn gwenu
a'r athrawon yn llon
Mae pawb yn hapus
yn yr ysgol hon.

Mae Cymraeg yn wych
A hanes yn grêt
Ond chwaraeon ydy'r gorau
I fi a fy mêt.

Mae'r cinio'n flasus
Bob dydd mae 'na *treat*
pizza a pasta
a phob math o *sweet*.

Mae *essence of lavender*
yn dod o'r tai bach.
Mae pob man yn lân
ac yn hollol iach.

Dim sbwriel o gwbl
Dim papur na tins
Mae'r plant yn rhoi popeth
Yn saff yn y bins.

Mae'r rheolau'n rhesymol
a'r wisg yn cŵl
Ond, na, dw i'n dweud celwydd
Dw i'n edrych fel ffŵl!

          Non ap Emlyn

gwenu	to smile
llon	jolly
blasus	delicious
tai bach	toilets
pob man	everywhere
glân	clean
yn hollol iach	really healthy
sbwriel	litter
rhesymol	reasonable
dweud celwydd	(to) tell lies

Pwyntiau pwysig

hoff (+ treiglad meddal)	Beth ydy dy hoff bwnc di?	Cymraeg.
		Cymraeg ydy fy hoff bwnc i.
	Beth ydy dy hoff bynciau di?	Saesneg a Ffrangeg.
		Saesneg a Ffrangeg ydy fy hoff bynciau i.
cas (+ treiglad meddal)	Beth ydy dy gas bwnc di?	Chwaraeon.
		Chwaraeon ydy fy nghas bwnc i.
	Beth ydy dy gas bynciau di?	Saesneg a hanes.
		Saesneg a hanes ydy fy nghas bynciau i.

yn + treiglad meddal (ond dim ll a rh)

GWEITHGAREDD 22

diflas	yn **dd**iflas	Mae hanes yn ddiflas.	*History is boring.*
cyffrous	yn **g**yffrous	Mae chwaraeon yn gyffrous.	*Games are exciting.*
llym	yn **ll**ym	Mae Mrs Smith yn llym.	*Mrs Smith is strict.*

Rhaid … Dim

GWEITHGAREDD 23

| Rhaid | Rhaid gwisgo gwisg ysgol. | *(You) must wear school uniform.* |
| Dim | Dim rhedeg yn y coridorau. | *No running in the corridors.* |

disgrifio berfenw

GWEITHGAREDD 24

| yn + ansoddair | rhedeg yn gyflym | *(to) run quickly* |
| 'n + ansoddair | gwisgo**'n d**aclus | *(to) dress neatly* |

enw + ansoddair

| enw + ansoddair | trowsus du | *black trousers* |
| | dillad tywyll | *dark clothes* |

Hoffet … Hoffwn …

| Hoffet ti? | Beth hoffet ti wisgo? | *What would you like to wear?* |
| Hoffwn i | Hoffwn i wisgo… | *I would like to wear …* |

GWEITHGAREDD 25-26

Hoffet ti …? Hoffech chi …? Hoffwn, hoffwn i (+ treiglad meddal)

Hoffet ti …?	Hoffet ti fynd i …?	Hoffwn, diolch.
Hoffech chi …?	Hoffech chi fynd gyda fi …?	Hoffwn, hoffwn i fynd i …
		Na hoffwn, dim diolch.
		Na hoffwn, hoffwn i ddim mynd i …

5. Parti ... parti ... parti

POB HWYL!!

Clwb Rygbi

Parti Cowbois

Nos Sadwrn, Mehefin 15
7.00 - 10.00

Rhaid i chi wisgo fel cowboi
... Calamity Jane ... neu Buffalo Bill ...
neu Wild Bill Hickok ...

Fideos cowbois ... canu gwlad ... dawnsio llinell ...
a llawer o hwyl

Bwyd barbeciw:
byrgyrs, sosej, ffa pob, tatws pob

DIM CEFFYLAU!   DIM REIFFLS!   DIM POERI!

canu gwlad	*country and western music*
dawnsio llinell	*line dancing*
ceffyl, ceffylau	*horse,-s*
poeri	*(to) spit*

Cwestiwn	Ateb
Oes bwyd?	Oes. Oes, mae bwyd barbeciw. Oes, mae sosej, byrgyr a ffa pob.
Oes disgo?	Nac oes. Nac oes, does dim disgo ond mae dawnsio llinell.

Cwestiwn	Ateb	
Beth ydych chi'n mynd i wneud yn y parti?	Rydw i'n mynd i Rydyn ni'n mynd i	**w**ylio fideos cowbois **dd**awnsio **f**wyta chwarae cardiau
Beth ydych chi'n mynd i wisgo? Beth ydych chi'n mynd i fwyta?	Rydw i'n mynd i wisgo gwisg cowboi. Rydw i'n mynd i fwyta sosej.	

tud 140

Parti thema

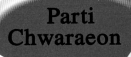
Parti Chwaraeon

Parti Gwledydd y Byd

Parti Sêr Pop

Parti Ewropeaidd

Parti Sêr Hollywood

GWEITHGAREDD 1-2

sêr pop	pop stars
Ewropeaidd	European
gwledydd y byd	the countries of the world

GWEITHGAREDD 3-5

59

Gwahodd

Wyt ti eisiau ...?

Ydych chi eisiau ...?

Cwestiwn	Ateb
Wyt ti **eisiau** mynd **i b**arti?	Ydw.
Wyt ti **eisiau** dod **i b**arti gyda fi nos Sadwrn?	Ydw, rydw i eisiau mynd i barti.
	Diolch. Baswn i wrth fy modd.
Wyt ti **eisiau** mynd **i'r** parti gyda fi nos Sadwrn nesa?	Nac ydw, dim diolch.
	Nac ydw, dydw i ddim eisiau mynd i'r parti.
	Nac ydw. Mae'n gas gyda fi / mae'n gas gen i bartis.
Ydych chi **eisiau** mynd i fowlio deg?	Ydw, diolch yn fawr.
Ydych chi **eisiau** mynd?	Nac ydw, dim diolch.
Ydych chi **eisiau** mynd ar y trip gyda fi?	Ydyn.
	Ydyn, rydyn ni eisiau mynd.
	Nac ydyn.
	Nac ydyn, dydyn ni ddim eisiau mynd.

eisiau

Does dim **yn** gydag **eisiau**:
Rydw i eisiau.
Mae hi eisiau.

i (+ treiglad meddal) neu i'r

i – to / to a	*i'r – to the*
mynd i siopa	mynd i'r gêm
mynd i Gaerdydd	mynd i'r sinema

Hoffet ti ...

Hoffech chi ...?

GWEITHGAREDD 6-7

Cwestiwn	Ateb
Hoffet ti ddod i'r parti?	Hoffwn. Hoffwn i ddod i'r parti.
Hoffet ti ddod i'r parti nos Sadwrn?	Hoffwn. Hoffwn i ddod i'r parti yn fawr. Diolch.
Hoffech chi ddod i'r parti?	Hoffen. Hoffen ni ddod i'r parti.
Hoffech chi ddod ar y trip?	Hoffen. Hoffen ni ddod ar y trip yn fawr. Diolch.

Beth am wahodd dy ffrind i barti?

Hoffet ti ddod i'r parti chwaraeon?

Hoffwn, hoffwn i ddod.

Beth wyt ti'n mynd i ...?

Oes ...?

Pryd?

Ble?

Annwyl ....

Rydw i'n cael parti pen-blwydd nos Wener yn y tŷ. Bydd y parti yn dechrau am 6.00 a bydd e'n gorffen am 9.00. Hoffet ti ddod?

Hwyl nawr

Bryn

PARTI

Bwyd	Diod	Gemau
Dawnsio	Miwsig da	

a...

DIGON O FWYD

WYT TI EISIAU DOD?

bydd — *will, there will be*
cynnal — *(to) hold (an event)*

GWEITHGAREDD 8

Derbyn gwahoddiad

Gwych
Great

Diolch
Thanks

Efallai
Perhaps

Yn bendant
Definitely

Dydw i ddim yn gallu aros
I can't wait

Byddwn i wrth fy modd
Baswn i wrth fy modd
I'd love to

Gwrthod gwahoddiad

Mae'n ddrwg gen i, ond dydw i ddim yn medru dod. Mae'n flin gyda fi ond dydw i ddim yn gallu dod.
I'm sorry but I can't come.

Rydw i'n brysur, mae'n flin gyda fi. Rydw i'n brysur, mae'n ddrwg gen i.
I'm busy, sorry.

Dydw i ddim yn siŵr.
I'm not sure.

Gyda ti? Dim peryg!
With you? No way!

Y tro nesaf, efallai.
Next time, perhaps.

GWEITHGAREDD 9-12

"Mynd am ddêt!!"

Un diwrnod, mae Huw yn gweld Lisa yn y coridor. Mae e'n mynd i siarad â hi …

Lisa, dwyt ti a fi ddim yn cytuno bob amser, rydw i'n gwybod, ond …

Mae hi'n cytuno ac maen nhw'n trefnu mynd i'r dref.

… ac mae e'n gofyn iddi hi fynd allan gyda fe dros y penwythnos.

… hoffet ti ddod allan gyda fi dros y penwythnos?

O Huw, coda ar dy draed!

Wel?

O … iawn.

Gwych! Ble hoffet ti fynd? I'r dref?

Iawn. Rydw i wrth fy modd yn siopa.

Maen nhw'n penderfynu mynd i'r sinema. Mae Lisa'n hapus iawn achos mae hi eisiau gweld ffilm newydd Leonardo di Caprio.

Na - DIM SIOPA! Mae'n gas gyda fi siopa. Beth am fynd i'r sinema?

Iawn. Hoffwn i weld ffilm newydd Leonardo di Caprio.

Maen nhw'n trefnu mynd i fowlio deg hefyd …

Fel arfer, mae'r ffilm yn dechrau am ddau o'r gloch ac mae'n gorffen am chwarter wedi pedwar. Beth am fynd i fowlio deg wedyn?

ac maen nhw'n trefnu ble maen nhw'n mynd i gyfarfod.

Wela i di tu allan i'r sinema am chwarter i ddau 'te.

Iawn. Mae'n swnio'n wych. Rhaid i fi fynd nawr.

62

Dydd Sadwrn, mae Huw yn hapus iawn. Mae e'n edrych ymlaen at fynd allan. Mae e'n mynd i'r ystafell wely ac mae e'n paratoi.

Ond beth mae e'n mynd i wisgo? Mae e'n trio'r trowsus llwyd gyda'r siwmper newydd … y tracwisg las … y jîns a'r crys glas.

Dydy e ddim yn gallu penderfynu.

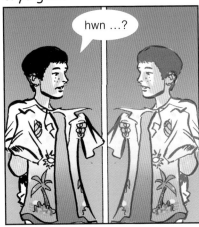

O'r diwedd, mae e'n hapus yn gwisgo jîns, crys a siaced denim.

Erbyn hanner awr wedi un, mae Huw yn sefyll tu allan i'r sinema. Mae e'n hapus iawn.

Ond mae Lisa'n hwyr …

Nac ydy, dydy Lisa ddim yn hwyr. Mae Lisa'n sefyll tu allan i sinema hefyd. Mae hi'n sefyll yno ers hanner awr! Mae hi'n flin iawn!

TREFNU PARTI

Beth am drefnu rhywbeth gyda'ch gilydd, e.e. parti.

Mewn grŵp, rhaid i chi feddwl am y cwestiynau yma.

Pa fath o barti ydych chi eisiau?
Ydych chi eisiau parti thema?

Rydw i eisiau parti …
Rydyn ni eisiau parti …
Dydyn ni ddim eisiau parti …

Pryd ydych chi eisiau'r parti?

Dydd Gwener.
Yr wythnos nesaf.

Am faint o'r gloch ydych chi eisiau'r parti?

Rydw i eisiau'r parti o … tan …
Rydyn ni eisiau'r parti i ddechrau am …

Ble ydych chi eisiau'r parti?

Rydw i eisiau'r parti yn (y) …

Beth ydych chi'n mynd i wneud?

Rydyn ni'n mynd i ddawnsio a bwyta a …

Pa fath o fwyd a diod ydych chi eisiau yn y parti?

Rydw i eisiau bwyta bwyd fel …
Rydw i'n mwynhau bwyta …

Beth ydych chi'n mynd i wisgo?

Rydw i eisiau gwisgo …
Rydw i'n mynd i wisgo …

Parti

Jam a jeli
Ham a bisgedi,
Pâst samon, crystiau,
Diod lemon, cacennau
A brechdanau, brechdanau, brechdanau.

Hufen a mefus,
Teisen felys, felys.
Dolpiau o gwstard,
Llyfiadau o fwstard
A brechdanau, brechdanau, brechdanau.

Balwniau a lliwiau,
Hetiau rhyfedd, rhubanau.
Gemau a neidio
Chwarae'n wirion ac actio
A brechdanau, brechdanau, brechdanau.

Parti!
Harti
Ond, O! Mam
Rydw i'n sâl!

Gwyn Thomas

GWEITHGAREDD 13-17

Adran A

64

Bwyd parti

Beth am wneud bwyd i'r parti?

Cyn dechrau paratoi bwyd:

- Golchwch eich dwylo.
- Darllenwch y rysáit yn ofalus.
- Golchwch y llysiau a'r ffrwythau ffres.
- Byddwch yn ofalus.

Ffurfiau arbennig

mwynhau *(to enjoy)*	mwynhewch
dweud *(to say)*	dwedwch
bod *(to be)*	byddwch
gwneud *(to do, make)*	gwnewch
rhoi *(to give, to put)*	rhowch
mynd *(to go)*	ewch
mynd â *(to take)*	ewch â
dod *(to come)*	dewch
dod â *(to bring)*	dewch â

Y Gorchmynnol *(Command forms)*
Ffurfiau CHI

- **rhaid ychwanegu -wch** at fôn y ferf

		CHI	
golchi *(to wash)*	golch ✕	golch + -wch	golchwch
bwyta *(to eat)*	bwyt ✕	bwyt + -wch	bwytwch
yfed *(to drink)*	yf ✕	yf + -wch	yfwch
dipio *(to dip)*	dipi ✕	dipi + -wch	dipiwch
cofio	cofi ✕	cofi + -wch	cofiwch

- **rhaid ychwanegu -wch** at y berfenw

darllen	darllen + -wch	darllenwch
siarad	siarad + -wch	siaradwch
edrych	edrych + -wch	edrychwch

tud 51-52

Brechdanau bach blasus

Beth:
bara Ffrengig
ham
tomato
caws
tiwna
pinafal
nionyn

Sut:
1. Torrwch y bara.
2. Rhowch fenyn ar y bara.
3. Rhowch ham neu domato neu gaws neu binafal a ham ar y bara.
4. Bwytwch a mwynhewch!

Dewch i'r parti dydd Gwener.
Dewch â brechdanau.
Yn y parti … dawnsiwch … bwytwch … mwynhewch!

GWEITHGAREDD 18-19

Y Gorchmynnol (Command forms)

Ffurfiau TI

- **rhaid ychwanegu -a** at fôn y ferf

		TI	
golchi *(to wash)*	golch ✗	golch + -a	golcha
bwyta *(to eat)*	bwyt ✗	bwyt + -a	bwyta
yfed *(to drink)*	yf ✗	yf + -a	yfa
dipio *(to dip)*	dipi ✗	dipi + -a	dipia
cofio	cofi ✗	cofi + -a	cofia

- **rhaid ychwanegu -a** at y berfenw

darllen	darllen + a	darllena
siarad	siarad + a	siarada
edrych	edrych + a	edrycha

 tud 51-52

Ffurfiau arbennig

mwynhau *(to enjoy)*	mwynha
dweud *(to say)*	dweda
bod *(to be)*	bydda
gwneud *(to do, make)*	gwna
rhoi *(to give, to put)*	rho
mynd *(to go)*	cer / dos
mynd â *(to take)*	cer â / dos â
dod *(to come)*	dere / tyrd
dod â *(to bring)*	dere â / tyrd â

Draenog

Beth:
ham, pinafal, caws
paced o ffyn coctel
1 grawnffrwyth

Sut:
1. Torra'r ham, y pinafal a'r caws yn ddarnau bach.
2. Rho'r darnau ar y ffyn coctel.
3. Torra'r grawnffrwyth mewn hanner.
4. Rho'r grawnffrwyth ar blât – yn wynebu i lawr.
5. Rho'r ffyn coctel yn y grawnffrwyth.

Dip diddorol

Beth:
250g o gaws hufennog
6 llwy fwrdd o sôs coch
moron

Sut:
1. Rho'r caws hufennog mewn powlen.
2. Rho'r sôs coch yn y caws hufennog.
3. Cymysga'n dda.
4. Plicia'r moron.
5. Torra'r moron.
6. Rho'r moron ar blât o gwmpas y bowlen.

I fwyta:
Dipia'r moron yn y dip.

Rysáit hawdd

1. Cer i'r archfarchnad.
2. Edrycha ar y silff.
3. Dewisa focs o gacennau.
4. Pryna'r bocs.
5. Rho'r cacennau ar blât papur.
6. Cer i'r parti a dweda, 'Dyma chi, cacennau blasus'!

pinafal	*pineapple*
grawnffrwyth	*grapefruit*
yn wynebu i lawr	*facing downwards*
caws hufennog	*cream cheese*
llwy fwrdd	*tablespoon*
cymysgu	*(to) mix*
plicio	*(to) peel*
archfarchnad	*supermarket*

GWEITHGAREDD 20

Ond Peidiwch ...

CHI

Peidiwch mynd i gysgu yn y parti!

Peidiwch ffraeo!

Peidiwch bwyta gormod!

Peidiwch dawnsio ar y bwrdd!

Peidiwch gwneud llanast!

TI

Paid mynd i gysgu yn y parti!

Paid ffraeo!

Paid bwyta gormod!

Paid dawnsio ar y bwrdd!

Paid gwneud llanast!

ffraeo	(to) quarrel
gormod	too much
llanast	mess

GWEITHGAREDD 21

GWEITHGAREDD 22

Y PARTI

Bore dydd Llun mae Aled yn teimlo'n ddiflas iawn achos dydy e ddim eisiau mynd i'r ysgol. Ar ddydd Llun mae dwy wers gwyddoniaeth a dydy e ddim yn hoffi gwyddoniaeth achos mae'r athro Mr Evans yn llym iawn.
Mae mam Aled yn dod i mewn i'r ystafell wely.
Mae hi'n rhoi amlen i Aled.

> Aled, dyma'r post.

> Diolch mam.

Mae Aled yn agor yr amlen.
Yn yr amlen, mae gwahoddiad i barti yn y Clwb Rygbi, nos Sadwrn. Mae'r Clwb yn dathlu pen-blwydd yn 50 oed.

Parti Pen-blwydd
yn
Y Clwb Rygbi
Nos Sadwrn
Mai 15
6-9 pm
Bwyd a diod

Ar ôl gwisgo, mae Aled yn rhedeg i lawr y grisiau.

> Mae parti yn y Clwb Rygbi Nos Sadwrn. Ga i fynd?

> Pwy arall sy'n mynd?

> Y 'giang' - Beca, Huw, Lisa ... rydw i'n meddwl.

> Iawn, felly.

Mae Aled yn teimlo'n hapus nawr. Ond mae un broblem fach arall.
Mae e eisiau dillad newydd i'r parti.

Dydd Sadwrn, mae Aled yn mynd i'r dref ar y bws ac mae e'n prynu dillad newydd.
Mae e'n prynu trowsus a siwmper smart, newydd.
Mae e'n gwario tua tri deg pump punt.
Mae e'n edrych ymlaen at y parti.

Ar y ffordd adref mae Beca'n ffonio Aled.

Yna, mae ffôn Aled yn canu eto.
Y tro yma, mae Huw yn ffonio Aled.

A beth am nos Sadwrn Aled? Mae e'n mynd adref ac mae e'n mynd i'r gwely !!

Pwyntiau pwysig

Oes ...?	Oes disgo?	*Is there a disco?*
	Oes. / Oes, mae disgo.	*Yes. / Yes, there is a disco.*
	Nac oes. / Nac oes, does dim disgo.	*No. / No, there isn't a disco.*

eisiau	Wyt ti eisiau mynd?	*Do you want to go?*
(dim **yn**)	Ydw. / Ydw, rydw i eisiau mynd.	*Yes. / Yes, I want to go.*
	Nac ydw. / Nac ydw, dydw i ddim eisiau mynd.	*No. / No, I don't want to go.*
	Rydw i eisiau mynd.	*I want to go.*
	Rwyt ti eisiau bwyta.	*You want to eat.*
	Mae John eisiau dawnsio.	*John wants to dance.*

GWEITHGAREDD 23

i (+ treiglad meddal)	Rydw i eisiau mynd **i** barti.	*I want to go to a party.*
i'r	Rydw i eisiau mynd **i'r** parti.	*I want to go to the party.*
hoffet ti ...?	Hoffet ti fynd?	*Would you like to go?*
(+ treiglad meddal)	Hoffwn.	*Yes I would.*
	Hoffwn, hoffwn i fynd.	*Yes, I would like to go.*
	Na hoffwn.	*No I wouldn't.*
	Na hoffwn, hoffwn i ddim mynd.	*No, I wouldn't like to go.*
hoffech chi ...	Hoffech chi fynd?	*Would you like to go?*
(+ treiglad meddal)	Hoffen.	*Yes, we would.*
	Hoffen, hoffen ni fynd.	*Yes, we would like to go.*
	Na hoffen.	*No, we wouldn't.*
	Na hoffen, hoffen ni ddim mynd.	*No, we wouldn't like to go.*

GWEITHGAREDD 24-25

Y gorchmynnol		**Ffurfiau CHI -wch**	**Ffurfiau TI -a**	
	torri	torrwch	torra	*cut*
	cerdded	cerddwch	cerdda	*walk*
	dawnsio	dawnsiwch	dawnsia	*dance*

Peidiwch   Paid

Peidiwch	Peidiwch.	Paid.	*Don't.*
Paid	Peidiwch siarad.	Paid siarad.	*Don't talk.*
	Peidiwch mynd.	Paid mynd.	*Don't go.*

6. Dros yr haf...

Yn yr uned yma, mae'r grŵp yn mynd i wneud wal syniadau ar gyfer gwyliau'r haf

Beth **fyddi di'n** wneud dros yr haf?
Beth **fyddwch chi'n** wneud dros yr haf?

POB HWYL!

Bydda i'n ... / Byddwn ni'n ...

aros gartref

mynd i ffwrdd

dysgu sgiliau pêl-droed

mynd i ddosbarth peintio

cyfarfod â ffrindiau

cael amser da

mynd ar drip

mynd i'r ganolfan hamdden

Fydda i ddim yn ... / Fyddwn ni ddim yn ...

mynd i'r ysgol

gweithio

gwneud gwaith cartref

mynd i ffwrdd

Bydda i'n cael amser da gyda fy ffrindiau. Fydda i ddim yn gweithio!

malwod   snails

Byddwn ni'n aros gartre. Fyddwn ni ddim yn mynd i ffwrdd.

Bydda i'n mynd i Ffrainc gyda fy nheulu, ond fydda i ddim yn bwyta malwod!

GWEITHGAREDD 1

71

Gofyn am fwy o wybodaeth

ym mis …

ym mis Mehefin	*in June*
ym mis Gorffennaf	*in July*
ym mis Awst	*in August*

 tud 85

Pryd?
Pryd fyddi di'n mynd i Ffrainc?
Pryd fyddwch chi'n mynd i Ffrainc?

Y rhifau: 10 – 31

10	deg
11	un deg un
12	un deg dau
13	un deg tri
14	un deg pedwar
15	un deg pump
16	un deg chwech
17	un deg saith
18	un deg wyth
19	un deg naw
20	dau ddeg
21	dau ddeg un
22	dau ddeg dau
23	dau ddeg tri
24	dau ddeg pedwar
25	dau ddeg pump
26	dau ddeg chwech
27	dau ddeg saith
28	dau ddeg wyth
29	dau ddeg naw
30	tri deg
31	tri deg un

Y dyddiad:
mis + rhif

Gorffennaf 18   Awst 25
Gorffennaf un deg wyth   Awst dau ddeg pump

Pryd fyddwch chi'n mynd i ffwrdd?
Byddwn ni'n mynd o Awst deg tan Awst
un deg wyth.

Am faint o'r gloch …?
Am faint o'r gloch fyddi di'n codi yn y
bore yn y gwyliau?
Am faint o'r gloch fyddwch chi'n codi yn
y bore yn y gwyliau?

 tud 87-89

 tud 74

Ble?
Ble fyddi di'n mynd ar ddydd Sadwrn?
Ble fyddwch chi'n mynd ar ddydd Sadwrn?

Efo pwy?
Efo pwy fyddi di'n mynd i'r sinema?
Efo pwy fyddwch chi'n mynd i'r sinema?

Gyda pwy?
Gyda pwy fyddi di'n mynd allan?
Gyda pwy fyddwch chi'n mynd allan?

GWEITHGAREDD 2

Jack

Ym mis Awst, bydda i'n mynd i ysgol pêl-droed yn Wrecsam, gyda fy chwaer, Clare.

Byddwn ni'n mynd o hanner awr wedi naw y bore tan hanner awr wedi tri y prynhawn.

Byddwn ni'n dysgu sgiliau pêl-droed. Bydda i'n dysgu sgiliau chwarae yn y gôl hefyd, achos rydw i'n hoffi chwarae yn y gôl.

Rydw i'n edrych ymlaen yn fawr.

Trish

Byddwn ni'n mynd ar drip y Clwb Ieuenctid i Oakwood, yn Sir Benfro ym mis Awst. Byddwn ni'n gadael tua 8.00 y bore a byddwn ni'n cyrraedd Oakwood tua 10.00.

Yn y parc, byddwn ni'n mynd ar y reids ffantastig – yr *Hydro*, y *Megafobia*, y *Vertigo*, a'r *Bounce*.

Bydd hi'n grêt. Byddwn ni'n gadael Oakwood tua 5.30 rydw i'n meddwl, a byddwn ni'n stopio am sglods ar y ffordd adre.

edrych ymlaen	(to) look forward (to)
Sir Benfro	Pembrokeshire
gadael	(to) leave
cyrraedd	(to) arrive
sglods (sglodion)	chips

GWEITHGAREDD 3

73

Cwestiwn	Ateb
Fyddi di'n mynd i nofio? Fyddwch chi'n mynd i nofio?	**Bydda**. **Bydda, bydda i'n** mynd i nofio gyda ffrindiau. **Bydda, bydda i'n** mynd i nofio gyda ffrindiau bob dydd Sadwrn. **Bydda, bydda i'n** mynd i nofio gyda ffrindiau yn Llanelli bob dydd Sadwrn.
Fyddi di'n mynd i ffwrdd? Fyddwch chi'n mynd i ffwrdd?	**Na fydda**. **Na fydda**, fydda i ddim yn mynd i ffwrdd.
Fyddwch chi'n aros gartre?	**Byddwn**. **Byddwn, byddwn ni'n** aros gartre drwy'r haf.
Fyddwch chi'n mynd i ffwrdd?	**Na fyddwn**. **Na fyddwn, fyddwn ni ddim yn** mynd i ffwrdd. Byddwn ni'n aros gartre drwy'r haf.

GWEITHGAREDD 4-6

74

Yr Eisteddfod Genedlaethol

Ym mis Awst, bydda i'n mynd i'r Eisteddfod Genedlaethol, ond fydda i ddim yn canu. Fydda i ddim yn dawnsio. Fydda i ddim yn cystadlu, ond bydda i'n cael amser gwych.

Beth fydda i'n wneud 'te?

Wel, bydda i'n cyfarfod â fy ffrindiau a byddwn ni'n cerdded o gwmpas y maes (mae'r maes yn fawr iawn!).

Byddwn ni'n mynd i'r stondinau a byddwn ni'n prynu pethau.
Byddwn ni'n mynd i'r gigs ar y maes.
Byddwn ni'n mynd i weld y perfformiadau.
Byddwn ni'n mynd i Babell y Dysgwyr ac i'r Babell Gwyddoniaeth i gael hwyl.
Byddwn ni'n mynd i Babell S4C.
Byddwn ni'n defnyddio cyfrifiaduron mewn llawer o'r pebyll.
Byddwn ni'n gwneud chwaraeon.

Byddwn ni'n cael llawer o hwyl!

Rydw i'n edrych ymlaen yn fawr!

cystadlu	(to) compete
cyfarfod â	(to) meet
y maes	the eisteddfod field
stondin, stondinau	stall,-s
prynu	(to) buy
pethau	things
pabell, pebyll	tent,-s

GWEITHGAREDD 7

Beth **fydd** … **yn** wneud dros yr haf?
Beth **fyddan nhw'n** wneud dros yr haf?

bydd Jack yn …
bydd e'n …
bydd o'n …

fydd Jack ddim yn …
fydd e ddim yn …
fydd o ddim yn …

bydd Clare yn …
bydd hi'n …

fydd Clare ddim yn …
fydd hi ddim yn …

Bydd Jack yn mynd i'r ysgol pêl-droed.
Bydd e'n dysgu sgiliau chwarae yn y gôl.

Bydd Clare yn mynd i'r ysgol pêl-droed.
Bydd hi'n dysgu sgiliau pêl-droed.

Byddan nhw'n cael hwyl.
Fyddan nhw ddim yn teimlo'n ddiflas.

Tina

Ym mis Awst, bydd Megan, fy ffrind, a fi yn mynd i'r llyfrgell. Fyddwn ni ddim yn mynd yno i ddarllen, ond i beintio.

Bydd tiwtor arbennig yn dod i'r llyfrgell bob bore a bydd hi'n rhoi gwersi peintio i ni. Byddwn ni'n cael hwyl.

Iolo

Bydd David a fi'n mynd i ddysgu sgiliau syrcas ym mis Awst. Bydd cwrs arbennig yn y ganolfan hamdden o Awst 13 tan Awst 15.

Byddwn ni'n dysgu sut i jyglo, sut i wneud triciau a sut i fod yn glown. (Bydd David yn wych fel clown!) Fyddwn ni ddim yn dysgu sut i swingio ar y *trapeze* – yn anffodus!

yn anffodus	*unfortunately*

GWEITHGAREDD 8-9

Cwestiwn	Ateb
Fydd Tina'n mynd i'r llyfrgell?	**Bydd**. **Bydd, bydd hi'n** mynd i'r llyfrgell i ddysgu peintio.
Fydd Tina'n mynd i'r syrcas?	**Na fydd**. **Na fydd**, fydd hi ddim yn mynd i'r syrcas – bydd hi'n mynd i'r llyfrgell.
Fydd David a Iolo'n cael amser da? Fyddan nhw'n cael amser da?	**Byddan**. **Byddan, byddan nhw'n** cael amser da yn y syrcas.
Fyddan nhw'n mynd i'r ysgol pêl-droed?	**Na fyddan**. **Na fyddan, fyddan nhw ddim yn** mynd i'r ysgol pêl-droed. Byddan nhw'n mynd i'r ysgol syrcas.

Carnifal Notting Hill

Dros Ŵyl y Banc, mis Awst, bydd carnifal Notting Hill yn Llundain. Dyma garnifal stryd mwya'r byd efo pobl o Affrica, Asia, Ewrop ac India'r Gorllewin yn cymryd rhan.

Bydd y carnifal yn digwydd dros 3 diwrnod:
Dydd Sadwrn, o 7:00 pm ymlaen: y Panorama – cystadleuaeth chwarae offerynnau dur
Dydd Sul, 12:00 pm – 9:00 pm: carnifal y plant a'r bobl ifanc
Dydd Llun, 12:00 pm – 9:00 pm: y prif garnifal - cannoedd o bobl mewn gwisgoedd ecsotig, fflôts ecsotig, dawnsio, pobl yn gwneud y calypso, cerddoriaeth, bandiau dur, stondinau, bwyd o bob rhan o'r byd.

Bydd miloedd o bobl yn gwylio a byddan nhw'n cael chwiban – er mwyn chwibanu ar eu hoff fflôts.

GWEITHGAREDD 10

Gŵyl y Banc	*Bank Holiday*
mwya	*biggest*
y byd	*the world*
India'r Gorllewin	*West Indies*
cymryd rhan	*(to) take part*
offerynnau dur	*steel instruments*
prif	*main*
gwisgoedd	*costumes*
bandiau dur	*steel bands*
chwiban	*whistle*
er mwyn	*in order to*
chwibanu	*(to) whistle*

GWEITHGAREDD 11

Beth fydd yn digwydd?

Ble fydd …?

Pryd fydd?

Faint fydd e'n gostio?

Am faint o'r gloch fydd …?

tud 57, 59

DIWRNOD O HWYL A SBRI

Y Ganolfan Hamdden

pêl-droed
sgiliau syrcas
pêl-rwyd
rownderi

Awst 4
10.00 – 3.30

Pris: £5.00

Byddwch chi'n cael llawer o hwyl!
Dewch â brechdanau a diod … a dillad ac esgidiau chwaraeon.

hwyl a sbri	*fun and games*

gŵyl Awst	*August festival*
stondin,-au	*stall,-s*
ar werth	*for sale*

Bydd
GŴYL AWST
ar
SGWÂR Y DRE

Dydd Sadwrn a Dydd Sul, Awst 11–12

bandiau jazz, dawnsio Morris
band pres, grwpiau pop

stondinau, peintio wynebau
crefftau
a llawer mwy ….

Pris: Oedolion - £4.00
Plant - £2.50

Diwrnod o hwyl i'r teulu!

Bydd bwyd a diod ar werth hefyd!

Faint fydd y diwrnod o hwyl a sbri'n gostio?
Pum punt.

Faint fydd Gŵyl Awst yn gostio?
I oedolion, bydd hi'n costio pedair punt.
I blant, bydd hi'n costio dwy bunt pum deg.

Cwestiwn	Ateb
Faint fydd e'n gostio?	Pedair punt, pum deg Bydd e'n costio pedair punt, pum deg

ARIAN

 Mae **ceiniog** a **punt** yn fenywaidd

Rhifau mawr

40	**pedwar deg**
45	pedwar deg pump
50	**pum deg**
56	pum deg chwech
60	**chwe deg**
67	chwe deg saith
70	**saith deg**
79	saith deg naw
80	**wyth deg**
82	wyth deg dau
90	**naw deg**
95	naw deg pump
100	**cant**
125	cant dau ddeg pump
150	cant pum deg
178	cant saith deg wyth

tud 74

ceiniog, ceiniogau

1c	un geiniog
2c	**dwy** geiniog
3c	**tair** ceiniog
4c	**pedair** ceiniog
5c	**pum** ceiniog
6c	**chwe** cheiniog
10c	**deg** ceiniog
20c	dau ddeg ceiniog <u>neu</u> ugain ceiniog
50c	**pum deg** ceiniog <u>neu</u> **hanner can** ceiniog
65c	chwe deg pump ceiniog

punt, punnau

£1	un bunt <u>neu</u> punt
£2	**dwy** bunt
£3	**tair** punt
£4	**pedair** punt
£5	pum punt
£6	chwe phunt
£10	deg punt
£20	**dau ddeg** punt <u>neu</u> **ugain** punt
£50	**pum deg** punt <u>neu</u> **hanner can** punt
£100	can punt

yr ewro (€) a'r ewro sent

tud 76-78

un ewro sent

dwy ewro sent

pum ewro sent

deg ewro sent

dau ddeg ewro sent

pum deg ewro sent

un ewro

dau ewro

pum deg ewro

dau ddeg ewro

deg ewro

pum ewro

pum deg ewro

GWEITHGAREDD 12-15

Mynd i'r Hafod

Bobl bach!	*Good grief!*	hir	*long*
gwledd ganol nos	*midnight feast*	nôl	*(to) fetch*
afiach	*unhealthy, disgusting*	mae pawb wedi mynd	*everyone has gone*
sothach	*rubbish*	ysbryd	*ghost*
ceffyl, ceffylau	*horse,-s*	dwyn	*(to) steal*
marchogaeth	*(to) ride (horses)*	teimlo'n ofnus	*(to) feel frightened*

Mae Aled, Beca, Lisa a Huw yn mynd i aros yn Yr Hafod, canolfan ar gyfer pobl ifanc. Mae llawer o ddisgyblion ysgol Brynbach yn mynd hefyd.

Bobl bach, Huw! Beth sy yn y cesys?

Mae Huw yn mynd â llawer o ddillad …

Yn y cês yma mae dillad … pethau nofio … treinyrs sbâr … ac yn y cês yma …

Ie?

Tedi bach pinc?!?

Na – bwyd.

… a llawer o fwyd achos ganol nos bydd e'n cael gwledd ganol nos.

Bwyd? Ond bydd staff y ganolfan yn rhoi brecwast, cinio, te a swper i ni.

Rydw i'n gwybod, ond fyddan nhw ddim yn rhoi bwyd i ni yn y nos. Rydw i'n edrych ymlaen at gael gwledd ganol nos.

Mae e'n edrych ymlaen at fwyta'r creision a'r bisgedi a'r siocledi. Ond dydy Beca a Lisa ddim yn hoffi'r bwyd yma!

Pa fwyd sy yn y cês 'te?

Creision, bisgedi … siocled, pop … mwy o greision … mwy o fisgedi … mwy o bop!

Afiach!

Sothach!

Mae'r merched yn edrych ymlaen at y penwythnos yn Yr Hafod. Maen nhw'n siarad am beth byddan nhw'n wneud.

Rydw i'n edrych ymlaen at gerdded yn y wlad.

Oes ceffylau yn y ganolfan? Rydw i wrth fy modd yn marchogaeth. Gobeithio bydd ceffylau yno!

Mae Huw ac Aled yn siarad am beth byddan nhw'n wneud hefyd. Mae Huw yn hapus iawn i fynd i ffwrdd!

Rydw i'n edrych ymlaen at ddringo ac abseilio.

Rydw i'n edrych ymlaen at gael amser da. Rydw i'n mynd i fwynhau pob munud. Chwaraeon …a mwy o chwaraeon! Dim gwaith! Dim Mam yn nagio. Dim chwaer fach yn crio. Gwych!

80

Maen nhw'n cyrraedd y ganolfan ac mae pawb yn hapus iawn. Mae Huw eisiau mynd i weld y ceffylau yn y cae.

Mae pawb arall yn mynd i mewn i'r ganolfan, ond mae Huw yn edrych ar y ceffylau.

Mae Huw yn dod i nôl y cesys. Mae e'n mynd i gario'r cesys i'r ganolfan, ond …

Mae dyn mewn siwt ddu hen ffasiwn yn dod i siarad â Huw. Mae e'n mynd i gario'r cesys i ystafell wely Huw. Mae Huw yn hapus iawn.

Yn y Ganolfan

Ble wyt ti'n mynd?

Rydw i eisiau mynd i weld y ceffylau. Fydda i ddim yn hir! Bydda i yn ôl mewn dwy funud.

Huw, dere. Rhaid i ni fynd i mewn i'r Ganolfan.

Iawn. Rydw i'n dod nawr.

Mae pawb wedi mynd. Reit, i ble ydw i'n mynd nawr?

Wyt ti eisiau help? Wyt ti eisiau i mi gario'r cesys i dy ystafell wely?

Diolch.

Dyn neis ond siwt od!

Mae pawb yn cael amser da iawn. Mae'r bwyd yn flasus ac maen nhw'n mwynhau siarad.

Mae'r bywd yn dda iawn – fyddi di ddim eisiau gwledd ganol nos, heno Huw. Byddi di'n llawn!

Bydda i'n cael fy ngwledd ganol nos am 12 o'r gloch. Ydych chi eisiau dod, ferched?

Dim diolch!

Ar ôl dawnsio yn y disgo, mae'r pedwar yn barod i fynd i'r ystafelloedd gwely. Maen nhw'n dweud 'Nos da'.

Nos da. Am faint o'r gloch fyddwch chi'n codi yfory?

Nos da, ferched.

Wel, fydda i ddim yn codi tan wyth. Nos da i chi. Wela i chi yn y bore.

Mae Huw yn barod i fwyta'r creision a'r siocled a'r bisgedi. Ond ble mae'r cês? Dydy e ddim yn gallu ffeindio'r cês!

Reit, ble mae'r bwyd? Beth …? Ble …? Sut …? Aled, Wyt ti'n gwybod ble mae fy nghês i.

Nac ydw.

Mae Aled a Huw yn mynd i'r swyddfa. Maen nhw'n gofyn i'r swyddog am y cês. Mae Huw yn sôn am y dyn mewn siwt ddu.

Esgusodwch fi, dydw i ddim yn gallu ffeindio fy nghês.

Ble oedd y cês?

Wrth y bws. Roedd y dyn wrth y bws yn mynd i ddod â'r cês i'r ystafell wely.

Pa ddyn?

Mae'r swyddog yn dweud wrth Huw pwy ydy'r dyn mewn siwt ddu …

Yr hen ddyn mewn siwt ddu, hen ffasiwn. Mae e'n gweithio yma, rydw i'n meddwl.

Does dim hen ddyn mewn siwt hen ffasiwn yn gweithio yma, Huw … OND…

… ysbryd! Yn ôl y stori, mae ysbryd yn Yr Hafod ac mae e'n dwyn bwyd!

Mae pobl yn dweud bod ysbryd yn y Ganolfan – hen ddyn mewn siwt ddu hen ffasiwn – yn gwisgo cap ar ei ben. Mae pobl yn dweud bod y dyn yn…

… dwyn bwyd o'r ystafell fwyta ac o'r ystafelloedd gwely. Beth oedd yn y cês Huw?

Mae Huw yn teimlo'n ofnus. Mae e eisiau mynd adre!

O na, rydw i eisiau mynd adre!

81

Gwyliau gwahanol

Ydych chi eisiau mwynhau gwyliau cyffrous?

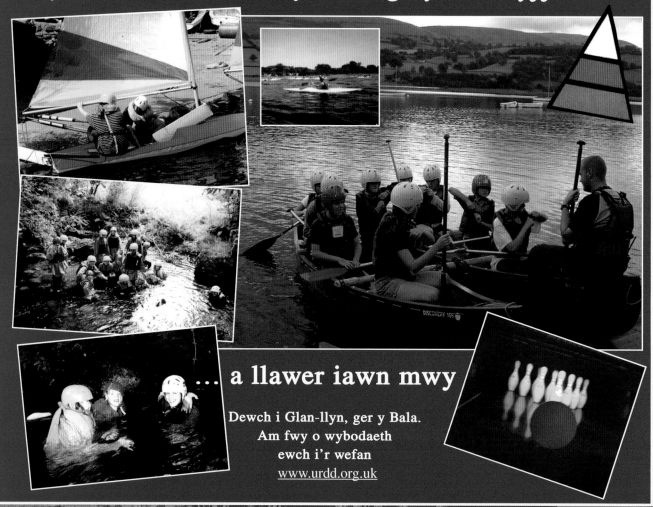

... a llawer iawn mwy

Dewch i Glan-llyn, ger y Bala.
Am fwy o wybodaeth
ewch i'r wefan
www.urdd.org.uk

Beth am gyfnewid cartref?

Mae teulu o Gymru yn byw yn Barcelona, Sbaen, ac maen nhw eisiau gwyliau yng Nghymru.

Maen nhw eisiau dod i ardal Aberystwyth Awst 5-20. Yn y teulu mae 3 o blant, felly mae'r teulu eisiau aros mewn fflat neu dŷ efo 3 neu 4 ystafell wely.

Mae'r teulu'n byw mewn fflat fawr, fodern yn Barcelona. Os ydych chi eisiau aros yn fflat y teulu yn Barcelona, cysylltwch â francisjones@espana.net

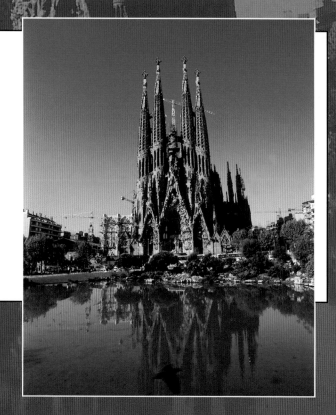

Annwyl Gyfaill

Mae'r clwb snwcer wedi gefeillio â chlwb snwcer yn Amsterdam. Rydyn ni'n mynd i aros yn Amsterdam ym mis Awst. Hoffech chi ddod efo ni?

Pryd: Awst 17-25
Ble: Amsterdam, Yr Iseldiroedd
Aros: Efo teuluoedd
Beth: Bydd llawer o weithgareddau diddorol
Pris: fferi a bws: plant   £110.00
                            oedolion   £160.00

Bydd dwy daith o gwmpas yr Iseldiroedd am 35 ewro yr un – rhaid talu ar ôl cyrraedd.

Am fwy o wybodaeth, ffoniwch:
Lyn Smith, 01896 776 640.

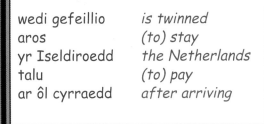

wedi gefeillio	*is twinned*
aros	*(to) stay*
yr Iseldiroedd	*the Netherlands*
talu	*(to) pay*
ar ôl cyrraedd	*after arriving*

PARIS ... A ... PARC ASTERIX

Trip 3 diwrnod mewn bws i weld Paris a diwrnod yn

PARC ASTERIX

£150.00

Am fwy o wybodaeth:

ffoniwch **Gwyliau Gwych**, 01777 657 309   neu

e-bostiwch gwyliaugwych@intol.net   neu

ewch i'r wefan www.gwyliaugwych.co.uk   neu

galwch i mewn – **Gwyliau Gwych**, 356 Stryd y Môr, Aberaeron.

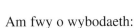

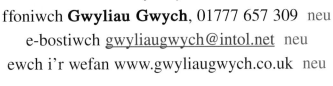

GWEITHGAREDD 16-20

Beth am wneud wal syniadau – Gwyliau'r Haf?

GWEITHGAREDD 21-22

83

Pwyntiau pwysig

Bydda i'n aros gartref.	*I'll stay at home.*
Byddi di'n dysgu sgiliau pêl-droed.	*You'll learn football skills.*
Bydd e'n / o'n dysgu dawnsio.	*He'll learn to dance.*
Bydd hi'n chwarae pêl-droed.	*She'll play football.*
Bydd Jack yn mynd.	*Jack will go.*
Bydd y plant yn cael amser da.	*The children will have a good time.*
Byddwn ni'n cael hwyl.	*We'll have a good time.*
Byddwch chi'n peintio.	*You'll paint.*
Byddan nhw'n cyfarfod yfory.	*They'll meet tomorrow.*

GWEITHGAREDD 23-26

Y negyddol

Fydda i ddim yn aros gartref.	*I won't be staying at home.*
Fyddi di ddim yn dysgu sgiliau pêl-droed	*You will not learn football skills.*
Fydd e / o ddim yn dysgu dawnsio.	*He will not learn to dance.*
Fydd hi ddim yn chwarae pêl-droed.	*She will not play football.*
Fydd Jack ddim yn mynd.	*Jack will not go.*
Fydd y plant ddim yn cael amser da.	*The children will not have a good time.*
Fyddwn ni ddim yn cael hwyl.	*We won't be having a good time.*
Fyddwch chi ddim yn peintio.	*You will not paint.*
Fyddan nhw ddim yn cyfarfod yfory.	*They will not meet tomorrow.*

GWEITHGAREDD 27

Gofyn cwestiynau

Fydda i'n mynd?	Bydda, bydda i'n mynd.	Na fydda, fydda i ddim yn mynd.
Fyddi di'n mynd?	Byddi, byddi di'n mynd.	Na fyddi, fyddi di ddim yn mynd.
Fydd e'n / o'n mynd?	Bydd, bydd e'n / o'n mynd.	Na fydd, fydd e / o ddim yn mynd.
Fydd hi'n mynd?	Bydd, bydd hi'n mynd.	Na fydd, fydd hi ddim yn mynd.
Fydd Jack yn mynd?	Bydd, bydd Jack yn mynd.	Na fydd, fydd Jack ddim yn mynd.
Fydd y plant yn mynd?	Byddan, byddan nhw'n mynd.	Na fyddan, fyddan nhw ddim yn mynd.
Fyddwn ni'n mynd?	Byddwn, byddwn ni'n mynd.	Na fyddwn, fyddwn ni ddim yn mynd.
Fyddwch chi'n mynd?	Byddwch, byddwch chi'n mynd.	Na fyddwch, fyddwch chi ddim yn mynd.
Fyddan nhw'n mynd?	Byddan, byddan nhw'n mynd.	Na fyddan, fyddan nhw ddim yn mynd.

GWEITHGAREDD 28

Gofyn ac ateb cwestiwn

Ble?	fydda i'n mynd
	fyddi di'n dysgu sgiliau pêl-droed
Pryd?	fydd e'n / o'n dysgu dawnsio
	fydd hi'n chwarae pêl-droed
Am faint o'r gloch? **+**	fydd Jack yn mynd
	fydd y plant yn cael bwyd
	fyddwn ni'n cael bwyd
Gyda pwy?	fyddwch chi'n peintio
Sut?	fyddan nhw'n mynd

Y rhifau yn Gymraeg	deg	10
	dau ddeg wyth	28
	naw deg	90
	ac ati	etc

tud 74 - 75

Y dyddiad	Gorffennaf 16	July 16

Arian	ceiniog, punt, ewro ac ewro sent	pence, pound, euro, euro cent

GWEITHGAREDD 29

Mwy o bwyntiau pwysig!

tud 12

'r / y / yr   *the*

'r ar ôl llafariad – a, e, i, o, u, w, y	Mae'**r** disgo heddiw. Rydw i'n mynd i'**r** siop. Rydw i'n hoffi'**r** llyfr.	*The disco is today.* *I'm going to **the** shop.* *I like **the** book.*
yr o flaen llafariad – a, e, i, o, u, w, y o flaen geiriau'n dechrau gyda 'h'	**yr** ysgol Rydw i'n mynd yn **yr** haf.	***the** school* *I'm going in **the** summer.*
y ar ôl cytsain ac o flaen cytsain	Rydw i'n chwarae yn **y** tîm. Mae Paul yn darllen **y** llyfr.	*I play in **the** team.* *Paul is reading **the** book.*

tud 13

a'r   *and the*

Rydw i'n hoffi'r llyfr **a'r** ffilm. Rydw i'n mynd i fwyta'r pizza **a'r** lasagne.	*I like the book **and the** film.* *I'm going to eat the pizza **and the** lasagne.*

tud 13

y ... yma   *this/these*
'r ... yma

y bachgen **yma** **y** bore **yma** Wyt ti'n hoffi'**r** rhaglen **yma**? Ydych chi'n darllen **y** cylchgronau **yma**?	***this** boy* ***this** morning* *Do you like **this** programme?* *Do you read **these** magazines?*

Y TREIGLAD MEDDAL

Beth?

tud 138-141

Mae rhai llythrennau yn newid weithiau ar ddechrau gair.

t	>	d	te	>	de
c	>	g	cylchgrawn	>	gylchgrawn
p	>	b	pwnc	>	bwnc
d	>	dd	diod	>	ddiod
g	>	-	gwaith	>	waith
b	>	f	bwyd	>	fwyd
m	>	f	merch	>	ferch
ll	>	l	llyfr	>	lyfr
rh	>	r	rhoi	>	roi

Ble?

ar ôl y geiriau yma

hoff	hoff fwyd	*favourite food*	→ Uned 1
	hoff ddiod	*favourite drink*	
cas	cas bwnc	*most hated subject*	→ Uned 1
	cas beth	*most hated thing*	
Mae'n gas gyda fi ….	Mae'n gas gyda fi bêl-droed.	*I hate football.*	→ Uned 2
	Mae'n gas gyda fi raglenni trist.	*I hate sad programmes.*	→ Uned 3
Mae'n gas gen i ….	Mae'n gas gen i redeg.	*I hate running.*	→ Uned 2
	Mae'n gas gen i gartwnau.	*I hate cartoons.*	→ Uned 3
Mae'n well gyda fi …	Mae'n well gyda fi raglenni doniol.	*I prefer funny programmes.*	→ Uned 3
	Mae'n well gyda fi gartwnau na ffilmiau.	*I prefer cartoons to films.*	
Mae'n well gen i …	Mae'n well gen i raglenni cwis.	*I prefer quiz shows.*	→ Uned 3
	Mae'n well gen i gartwnau na ffilmiau.	*I prefer cartoons to films.*	
neu	pêl-droed neu bêl-fasged	*football or basketball*	→ Uned 2
i	chwarter i bedwar	*a quarter to four*	→ Uned 3
am	am ddeg o'r gloch	*at ten o'clock*	→ Uned 3
o	o dri o'r gloch tan chwech o'r gloch	*from three o'clock until six*	→ Uned 3
tan	o chwech o'r gloch tan ddeg o'r gloch	*from six o'clock until ten o'clock*	→ Uned 3
yn + ansoddair / enw (ond dim 'll' a 'rh')	Mae Sgorio yn dda iawn.	*Sgorio is very good.*	→ Uned 3
	Mae ffilmiau cowboi yn gyffrous.	*Westerns ar exciting.*	
	Mae rhaglenni cerddoriaeth yn rhagorol.	*Music programmes are excellent.*	
rhy	rhy drist	*too sad*	→ Uned 3
	rhy blentynnaidd	*too childish*	
hoffet ti …?	Hoffet ti fynd?	*Would you like to go?*	→ Uned 4 a 5
	Hoffet ti ddod?	*Would you like to come?*	
hoffech chi?	Hoffech chi gael parti?	*Would you like to have a party?*	→ Uned 4 a 5
	Hoffech chi ddawnsio drwy'r nos?	*Would you like to dance all night?*	
dwy a dau	dwy geiniog	*two pence*	→ Uned 6
	dwy bunt	*two pounds*	
beth am …?	Beth am ddarllen?	*What about reading?*	→ Llyfr Gweithgareddau
rhaid i …	Rhaid i ti wrando.	*You must listen.*	→ Llyfr Gweithgareddau
	Rhaid i chi ddarllen.	*You must read.*	
	Rhaid i'r grŵp wneud graff.	*The group must draw a graph.*	

Ffurfiau eraill

Ffurfiau yn y llyfr cwrs	Ffurfiau eraill	
Rydw i'n … Rydw i'n mynd i Ysgol Brynbach.	Dw i'n Dw i'n mynd i Ysgol Brynbach.	→ Uned 1
Ble wyt ti'n byw?	Ble rwyt ti'n byw?	→ Uned 1
Beth wyt ti'n hoffi? Beth ydych chi'n hoffi?	Beth rwyt ti'n hoffi? Beth rydych chi'n hoffi? Beth dych chi'n hoffi? Beth dach chi'n hoffi?	→ Uned 1
Ydych chi'n hoffi tennis?	Dych chi'n hoffi tennis? Dach chi'n hoffi tennis?	→ Uned 2
Pryd wyt ti'n mynd i'r dre? Pryd ydych chi'n mynd i'r dre?	Pryd rwyt ti'n mynd i'r dre? Pryd rydych chi'n mynd i'r dre? Pryd dych chi'n mynd i'r dre? Pryd dach chi'n mynd i'r dre?	→ Uned 2
Gyda pwy wyt ti'n mynd? Efo pwy wyt ti'n chwarae? Gyda pwy ydych chi'n mynd? Efo pwy ydych chi'n chwarae?	Gyda pwy rwyt ti'n mynd? Gyda phwy rwyt ti'n mynd? Efo pwy rwyt ti'n chwarae? Gyda pwy rydych chi'n mynd? Gyda phwy rydych chi'n mynd? Gyda pwy dych chi'n mynd? Efo pwy rydych chi'n chwarae? Efo pwy dych/dach chi'n chwarae?	→ Uned 2
Pam wyt ti'n hoffi tennis? Pam ydych chi'n mynd i'r dre?	Pam rwyt ti'n hoffi tennis? Pam rydych chi'n mynd i'r dre? Pam dych chi'n mynd i'r dre? Pam dach chi'n mynd i'r dre?	→ Uned 2
Pa fath o raglenni wyt ti'n hoffi? Pa fath o raglenni ydych chi'n mwynhau?	Pa fath o raglenni rwyt ti'n hoffi? Pa fath o raglenni rydych chi'n mwynhau? Pa fath o raglenni dych chi'n mwynhau? Pa fath o raglenni dach chi'n mwynhau?	→ Uned 3
Paid rhedeg Peidiwch siarad	Paid â rhedeg Peidiwch â siarad	→ Uned 5
Ble fyddi di'n mynd? Ble fyddwch chi'n mynd?	Ble byddi di'n mynd? Ble byddwch chi'n mynd?	→ Uned 6
Pryd fyddi di'n dod adre? Pryd fyddwch chi'n dod adre?	Pryd byddi di'n dod adre? Pryd byddwch chi'n dod adre?	→ Uned 6
Gyda pwy fyddi di'n aros? Efo pwy fyddwch chi'n aros?	Gyda phwy byddi di'n aros? Efo pwy byddwch chi'n aros?	→ Uned 6

CHRISTOPHE BLAIN

EN CUISINE AVEC
ALAIN PASSARD

RECETTES D'ALAIN PASSARD

COULEURS DE CLÉMENCE SAPIN ET DE CHRISTOPHE BLAIN

Gallimard

Des mêmes auteurs

Alain Passard

Chez Alternatives
Alain Passard, collages et recettes

Chez Gallimard Jeunesse
Les Recettes des Drôles de Petites Bêtes,
avec Antoon Krings

Christophe Blain

Chez Albin Michel
Carnet d'un matelot
King Kong, avec Michel Piquemal
Le Noyau de Pierre,
avec Michelle Montmoulineix

À L'Association
Comix 2000 (collectif)

Chez Casterman
La Balançoire, avec Jo Hœstland
Carnet polaire
Carnets de Lettonie
Les Deux Arbres, avec Elisabeth Brami

Chez Dargaud
Gus (trois volumes)
Hiram Lowatt & Placido,
avec David B. (deux volumes)
Isaac le pirate (cinq volumes)
Quai d'Orsay, avec Abel Lanzac
Socrate le demi-chien,
avec Joann Sfar (trois volumes)

Chez Delcourt
Donjon Potron-Minet,
avec Joann Sfar et Lewis Trondheim
(quatre volumes)

Chez Dupuis
Le Réducteur de vitesse

Au Seuil
La Mythologie grecque, avec François Busnel

Le chef remercie son équipe.

Sous la direction
de Colline Faure-Poirée
©Gallimard, 2011

Conception graphique
de Néjib Belhadj Kacem

ISBN : 978-2-07-069612-3
N° d'édition : 178120
Dépôt légal : mai 2011
Imprimé en Belgique

À TABLE AVEC ALAIN PASSARD

Petits pois « caviar vert »
et pamplemousse rose
à la menthe fraîche

~~~~~~~

Cœur de chou nouveau « à cru »
au parmesan

Petits pois «caviar vert» et pamplemousse rose à la menthe fraîche

Pour 4 personnes

Dans un vaste sautoir, faites fondre doucement un beau copeau de beurre salé avec 4 tasses à thé de petits pois frais «extra-fins», 4 échalotes nouvelles finement hachées et une gousse d'ail nouveau écrasée. La taille du sautoir est importante : les petits pois doivent être à plat et non les uns sur les autres. En les mélangeant, vous devez voir le fond du sautoir. Ajoutez 4 c. à soupe d'eau, couvrez d'un papier sulfurisé afin de préserver les parfums et laissez mijoter et monter la fumée pendant 4 à 6 minutes selon la grosseur des petits pois.

Ensuite, ajoutez 4 feuilles de menthe fraîche ou de mélisse finement ciselée, une pincée de fleur de sel et servez dans 4 bols à bouillon chauds.

Ajoutez dans chaque bol un quartier de pamplemousse pelé à vif et coupé en fines tranches.

Dans cette recette, l'idée est de chauffer les petits pois «extrafins» et non de les cuire !
Pour un petit pois plus gros n'hésitez pas à rajouter un peu plus d'eau et de temps pour la cuisson !

«Caviar vert» parce qu'un petit pois «extrafin» est gros comme un œuf d'esturgeon et surtout aussi tendre !

Cœur de chou nouveau « à cru » au parmesan

Pour 4 personnes

Dans un vaste saladier, à la mandoline, coupez très fin un cœur de chou nouveau. Vous obtenez une sorte de choucroute crue. Démêlez bien chaque feuille et ajoutez-leur une belle carotte nouvelle fraîchement râpée, une botte de petits radis rouges coupés en 4, 4 petits radis blancs ou noirs finement coupés en rondelles à la mandoline et les feuilles hachées d'une ½ botte d'estragon. Assaisonnez avec un long trait d'huile d'olive, 3 à 4 c. à soupe de sauce soja sucrée et 2 c. à soupe de parmesan râpé. Voilà, c'est tout ! Servez avec un pain de campagne grillé frotté contre l'écorce d'un citron jaune.

Pour l'assaisonnement, le parmesan offrira le sel nécessaire à cette salade de chou.

L'estragon s'invite avec ses saveurs anisées qui apporteront fraîcheur et ampleur.

EN CUISINE

Le service du midi va commencer. Je me cale dans un coin parce que la cuisine est petite.

L'atmosphère est encore détendue

C'est la préparation. Les cuisiniers préparent, nettoient, épluchent les produits. (Parfois Alain y participe un peu. Sans doute pour se chauffer).
Il y a même un client qui s'est payé un stage en cuisine avant son déjeuner. Il épluche.

FLAP FLAP

Tony, tu me fais une huile de carotte.

Oui chef.

On a quoi comme essais aujourd'hui ?

On a le radis, chef.

Tu me fais une huile de radis.

bien noire.

On est très sur les huiles, en ce moment.

Je fais des huiles avec les légumes.

Tu mélanges le légume broyé avec de l'huile. L'huile remonte, elle est parfumée.

Quand tu n'as pas envie d'une sauce lourde, tu fais une huile comme ça.

Pas avec de l'huile d'olive, trop typée.

On a une belle huile blanche d'arachide.

Carotte+huile

BRRR

huile tamisée

huile orange !

Tu me prépares une petite chapelure de chou-fleur.

oui chef

Hahaha ! Tu vas voir ce que c'est. Je m'en sers comme une chapelure.

Tu râpes le chou-fleur, tu gardes les sommités.

les sommités sont plus tendres.

Tu me fais une petite anglaise, Tony ?

oui chef.

Un club sans interdit. Départ 14h45 précises.

FLAP

première commande

« Un club », c'est une formule déjeuner. « Sans interdit », ça veut dire « sans interdit alimentaire ». Les clients n'hésitent pas à dire ce qu'ils ne veulent pas manger. On passe les consignes en cuisine sur des feuilles de route. qui peuvent donner : M. CALICO 12h30
« Mme végétalienne = sans œuf, sans graisse animale (beurre, crème ...) M. mange de tout ! »
Certains habitués viennent même faire leur régime ici. Ils demandent au chef de supprimer tel ou tel ingrédient.

Le prince est arrivé, chef.

C'est un vrai prince ou il s'appelle M. Le Prince?

Ah non, c'est un vrai, hahaha! Il est pas comme toi et moi. Nous, on est des princes que pour nos femmes.

Il est sympa, il aime le cigare.

On aura également M. Gambarelli, chef.

Ah oui il est sur la liste.

On démarre M. Gambarelli. Beau programme

Il a le temps —15 h 30—

Alain a des clients privilégiés qu'il connaît. Il décide ce qu'ils mangent sans qu'ils aient à commander.

Avec eux, il improvise, il sort de la carte, expérimente des variantes de ses plats, teste les nouveautés.

Il sait que ce sont des gourmets, leur avis compte. Il leur demande ce qu'ils ont pensé de ses créations.

ouais, haha! Il s'assoit, Il repart.

Ce sont des cobayes de luxe.

Haha!

Ah ouais! Ils sont cultivés les mecs.

On démarre M. Parme. Il a rendez-vous à 16 h 00.

Je prends la main, M. Parme.

SCHLAC

On démarre M. Blain. Beau programme. Il ne fout rien de son après-midi.

Je prends la main.

GRLOUIIIK

Alain ne crie jamais. Lorsqu'il reprend un cuisinier, c'est sec et précis. Il a l'air décontracté, puis il rentre soudain dans l'action. Il est rapide, tout à son geste. Lorsque le rythme s'accélère, il profite de l'énergie et de la tension, il est totalement absorbé par sa cuisine, presque en transe.

— À la cuiller, monsieur*

— Ça a pas été réfléchi, ça.

— Profite de ta main droite pour tourner.

— Oui chef.

— Il faut que tu réclames du gratin avec les ris de veau. Sinon, ils n'y penseront pas. C'est délicieux avec l'acidité de la corinthe.**

— Oui chef.

— C'est bon là. Ça démarre fort ! Allez, allez, on fait pas retomber.

— ?

— Rrhôôô mon pantalon

— hum

— J'ai craqué mon pantalon !

— huhu. J'ai grossi

* en cuisine, on s'appelle « monsieur » et « madame ».
** sauce réalisée à base de raisins de corinthe.

Je commence à être habitué à manger à l'Arpège - À force, j'ai le palais plus aiguisé.

Je me suis fait à la finesse des plats. Je les connais. Je me souviens bien de ce goût très fort de vert, de terre du jardin. Je retrouve dans l'assiette la douceur et l'amertume subtile des odeurs senties en cuisine. Bref, je suis moins surpris.

Pourtant, chaque fois, quelque chose me sidère.

Fait le malin →

Alain Passard ouiii

← Extraordinaire

J'y mange souvent

oui oui

hum haha

Cette fois, par exemple : mousse de speck sur velouté de poivron rouge.

À partir de là, j'entre dans un état extatique.

Deuxième gros choc au dessert avec un petit biscuit apparemm inoffensif parmi les mignardises. Il n'a pourtant pas ce goût d'essence de légume rare. Il est à l'amande et au rhum.

AAAA soupir

Je suis fait.

CROC

Il se désagrège immédiatement en faisant éclater distinctement le parfum de l'amande et du Rhum

bon sang !

Si j'étais une gonzesse, je tomberais instantanément amoureuse d'Alain Passard

Je me souviens de ces scènes vues en cuisine après le service :

AAAh Alain c'était merveilleux

ooh

haha

haha

AAAlain Qu'est-ce que tu nous as faaaiii

Je le savais déjà pour les musiciens

J'ai découvert une nouvelle engeance les cuisiniers

Carpaccio de langoustines
à la ciboulette

~~~~~

Fondue d'oignons blancs à l'oseille,
fèves et chèvre frais, chutney
de rhubarbe rouge

Carpaccio de langoustines
à la ciboulette

Pour 4 personnes

Avec des gants, décortiquez 8 grosses langoustines crues de 100 g chacune. Sur une planche de travail, escalopez-les une à une en 3 fines tranches et allongez-les sur vos assiettes finement enduites d'un trait d'huile d'olive... Puis, recouvrez chaque assiette d'un papier film et posez-en une autre sur le carpaccio pour le lisser et légèrement l'aplanir. Réservez au frigo. Pendant ce temps, coupez finement les tiges choisies d'une botte de ciboulette et dans un bol, ajoutez-leur 3 c. à soupe de crème liquide par personne. Sortez les carpaccios du réfrigérateur, ôtez le film et ceinturez-les avec la crème à la ciboulette, un trait d'huile d'olive, fleur de sel et poivre du moulin. Servez avec un pain de campagne grillé chaud !

À la découpe, contournez l'intestin de la langoustine en le retirant
avec la pointe du couteau.

Ce carpaccio peut également être légèrement citronné.

Fondue d'oignons blancs à l'oseille, fèves et chèvre frais, chutney de rhubarbe rouge

Pour 4 personnes

Sur un feu doux, faites chauffer uniformément votre sautoir – ensuite, laissez fondre 20 minutes, dans un copeau de beurre salé et 1 c. à soupe d'huile d'olive, 3 gros oignons finement ciselés à la mandoline, sans coloration et en mélangeant régulièrement - puis, ajoutez 1 bol de fèves crues et épluchées, 1 saladier de feuilles d'oseille vert frais et le jus d'un petit citron jaune. Laissez tiédir les fèves et faner l'oseille dans l'oignon chaud, c'est très rapide 3 à 4 minutes.... Rajoutez un copeau de beurre frais et servez aussitôt sur assiette chaude avec quelques pousses d'épinard crues en salade à l'huile d'olive et des éclats de chèvre sec. À côté, déposez un chutney de rhubarbe rouge, dont voici la recette :

Coupez en tronçons d'1 cm 2 tiges de rhubarbe rouge et faites-les fondre à feu vif dans un sautoir sans les superposer, avec 12 morceaux de sucre blanc, 1 verre à moutarde d'eau et 1 de vinaigre blanc, 4 à 5 pétales d'hibiscus et 1 c. à soupe de baies rouges concassées – évitez de mélanger afin de préserver la rhubarbe en tronçons.

Pourquoi du citron jaune dans la fondue d'oignons ?
Pour amplifier l'acidité de l'oseille.

Choisissez un gros oignon blanc des Cévennes issu de la variété Saint-André.

Veillez à garder une chaleur douce afin d'obtenir une jolie liaison pastel entre le beurre, l'huile et l'eau de végétation de l'oignon.

Sur votre marché, si vous avez la chance de poser le regard sur des bottillons d'oseille rouge... n'hésitez pas ! Elle a une acidité plus subtile et surtout un parfum floral printanier, votre plat n'en sera que plus beau.
Mais elle est rare...

L'AXE DE CRÉATIVITÉ

Galettes de pommes de terre
« façon pizza » aux crudités
et parmesan

~~~~~~~~

Saint-pierre aux feuilles de laurier
« sous la peau »

Galettes de pommes de terre « façon pizza » aux crudités et parmesan

Pour 4 personnes

Râpez 4 grosses pommes de terre en fins vermicelles et dans une poêle chaude avec un beau copeau de beurre salé, confectionnez une fine galette d'1 cm. À feu doux, laissez dorer 10 à 12 minutes de chaque côté, en prenant soin de retourner la galette à mi-cuisson. Vous aurez ainsi créé le fond de votre pizza, il doit être croustillant à l'extérieur et fondant à l'intérieur. En fin de cuisson et toujours dans la poêle chaude, mais hors du feu, habillez votre galette de chips de crudités : 6 oignons nouveaux, 4 betteraves rouges ou jaunes et 2 radis noirs. Ajoutez un «voile» de parmesan râpé, un trait d'huile d'olive et ½ botte de persil fraîchement ciselé... De la poêle, faites glisser la galette sur une planche à découper, parsemez de fleur de sel et partagez-la en 4. Servez sur assiettes chaudes avec un mesclun printanier et une tapenade ou une moutarde d'Orléans «onctueuse».

Pour 4 personnes, utilisez une poêle de 30 cm de diamètre pour la cuisson de la galette. Garnissez légèrement la galette de façon à obtenir un bel équilibre entre la croustillance du fond et la tendreté des crudités.

Vous pouvez également imaginer une galette estivale avec des tomates cerise coupées en 2, des courgettes finement râpées, un poivron râpé et des feuilles de basilic.

Confectionnez vos chips de crudités à la mandoline japonaise.

Cette galette est une invitation à la créativité alors... laissez-vous aller dans le jeu des couleurs et des saveurs en y apportant votre propre inspiration !

On fait d'abord des vermicelles de pommes de terre avec la machine

On les met dans une grande poêle avec du thym et un petit fond de beurre.

On peut le faire avec tous les légumes. Ça marche avec des carottes aussi.

Haha!

Lorsqu'elle est dorée, on la retourne.

Alain râpe à la mandoline des oignons, des betteraves jaunes, du radis noir du parmesan

Est-ce qu'il vous reste du persil ?

Oui chef!

Ouais!!

huile d'olive

Tu mets ce que tu veux. Tout ce que t'as.

Alors ça... c'est à l'état expérimental.

Alors tes copains, les habitués, tes supporters, les esthètes, ils viennent plutôt le midi.

C'est là que tu testes tes plats.

Ah ouais!

C'est le laboratoire.

Ah ouais! ouais!

accompagnée d'une petite salade et d'un trait de vinaigre

Allez, on en refait une!

Le soir, tu as plus de gens qui viennent chercher le prestige...

C'est ça.

Et ça marche bien!

...les types amènent leurs gonzesses pour les épater.

Allez! Pas de temps mort. Ça part bien. Ça part de tous les bords.

Saint-pierre aux feuilles de laurier
« sous la peau »

Pour 4 personnes

Avec la pointe d'un cutter, incisez des 2 côtés (sur la largeur) la peau d'un saint-pierre d'1 kg sans toucher à la chair. Avec le plat de la main et du bout des doigts, décollez la peau des filets afin de créer un bel espace entre les 2 et glissez sous la peau, de chaque côté, 4 à 5 feuilles de laurier frais.

Dans une grande poêle à poisson (ovale) et avec un filet d'huile d'olive, faites dorer à feu vif le saint-pierre 7 à 8 minutes de chaque côté. Déposez-le sur un plat chauffé dans un four à 200°C et laissez terminer la cuisson 20 minutes dans le four éteint et entrouvert. Au moment de servir, dans le four, redonnez au saint-pierre un coup de gril, présentez-le à vos invités en ayant pris soin de tamponner le poisson avec un morceau de beurre salé pour lui donner une belle brillance. Ensuite, dans le plat toujours bien chaud, avec des couverts à poisson, levez les filets du saint-pierre et servez-les en assiettes chaudes avec un trait d'huile d'olive, 1 pincée de fleur de sel et surtout ce petit jus précieux que vous récupérez au fond du plat ! Garnissez d'un légume de saison... un cœur de chou nouveau effeuillé à la casserole ou en été, une tomate concassée ou un caviar d'aubergine...

Attardez-vous sur le parfum et le goût du laurier frais, comme une empreinte, il a imprimé son côté floral au poisson et surtout sa belle amertume ; selon les goûts vous pouvez aussi réduire ou appuyer le nombre de feuilles de laurier.

Les feuilles de laurier peuvent être remplacées par des feuilles de citron vert !
Cependant, plus difficile d'en trouver...

N'hésitez pas à forcer avec les doigts, lorsque vous décollez la peau des filets, la peau du saint-pierre est très résistante.

Une astuce pour retourner le poisson : mettez-vous au-dessus d'un évier, posez à plat la main sur le saint-pierre et retournez la poêle sur votre main, ainsi vous n'abîmerez pas votre poisson.

PARIS—TOKYO

Le service du déjeuner est fini. Il est 15h30. La salle est vide. Alain va partir au Japon une semaine dans quelques jours pour y faire des dîners.

Le chef part régulièrement à l'étranger faire de courtes sessions gastronomiques avec un petit commando dirigé par Julie.

Tony tiendra le piano pendant ce temps

Faudra qu'on soit à la recherche de l'insolite.

Faudra faire des phrases qu'on a jamais entendues.

Par exemple, la betterave et le coing.

Elle arrive avant lui, réunit et sélectionne les produits locaux. Alain rejoint l'équipe, goûte, corrige les accords. Ils mettent au point un dîner.

La poire, faut lui faire affronter la tomate.

La châtaigne et le navet... C'est tout con mais ça marche vachement bien.

Dans les textures, c'est pareil.

Faudra se pencher là-dessus parce que c'est vivant.

Les découpes aussi sont importantes

Faudra aller chercher loin.

Tout ça en visuel.

Quand tes cagettes arrivent, tu fais tes assiettes.

Comme ce matin, t'as vu Julie, le canard au gros sel.

C'était superbe.

Magnifique.

C'est là que je voudrais que vous alliez.

Ne vous interdisez rien.

Prenez des notes.

Tu vois, comme la châtaigne, j'ai arrêté la cuisson pour qu'elle reste bien claire.

Et l'huile d'olive, c'est inattendu avec la châtaigne.

Ça, je l'ai trouvé là, comme ça.

Julie, il faut que tu sois au point là-dessus quand j'arriverai à Tokyo.

Toi aussi, Anthony, il faudra que tu reproduises tout ça.

Faut conjuguer sans trop en rajouter.

Faut faire des essais.

Allez sur vos formes aussi, c'est beau.

Tu vois, quand tu as une belle tranche, un beau champignon, la cuisson est rapide.

Y'en a marre des petits cubes.

Pensez à votre bouchée.

Ce qu'on va devoir construire.

Il faut que ce soit fin.

LE LIÈVRE

Chaud-froid d'œuf
au sirop d'érable

~~~~~~

Émotion « pourpre »
au miel d'acacia

Chaud-froid d'œuf au sirop d'érable

Pour 4 personnes

Avec un toc-œuf, toquez délicatement huit œufs de façon à imprimer sur la coquille une ligne franche et régulière. Ensuite, avec le coin d'une lame de rasoir, facilitez la découpe en suivant le trait dessiné puis, d'un geste précis et délicat, évacuez le blanc d'œuf en retenant le jaune dans la paume de votre main. Sans les écorcher, remettez-les dans le fond de leur coquille et réservez-les au frais, filmés sur une alvéole. Maintenant, fouettez dans un saladier bien froid ¼ de litre de crème liquide (laissez-la glacer au congélateur) avec une pincée de fleur de sel, une belle pointe de couteau de quatre-épices et 1 c. à soupe de vinaigre de Xérès... Donnez à la crème une jolie texture légèrement «nappante» et réservez-la au frais dans une poche à douille jetable, après avoir pris soin de rectifier l'assaisonnement en appuyant condiments et épices selon votre goût...

À feu doux, dans une casserole, faites chauffer une eau claire à 70°C (vous pouvez encore y plonger rapidement le doigt sans vous brûler... !). Posez les coquilles sur la surface de l'eau fumante, elles vont flotter comme de petits navires... !* Comptez 3 à 4 minutes de cuisson, le jaune doit être chaud et rester onctueux comme celui d'un œuf à la coque. Observez la cuisson autour du jaune : une ligne blanche se dessine... Enfin, dans un coquetier, ajoutez aux œufs 1 c. à café de ciboulette ciselée, à la poche, une belle noix de crème fouettée et un trait de sirop d'érable. Servez aussitôt sans mélanger mais plutôt en plongeant une cuillère à moka au fond de la coquille pour avoir le chaud de l'œuf et le froid de la crème.

*Dans l'œuf, c'est le poids du jaune qui permettra de stabiliser la coquille sur l'eau.

Pour info, le quatre-épices c'est du gingembre, du poivre blanc, de la noix de muscade et du clou de girofle... dans toutes les bonnes épiceries.

Émotion « pourpre » au miel d'acacia

Pour 4 personnes

Sur une assiette, créez un joli bouquet «pourpre» avec une belle betterave carmin «cuite en robe des champs», les feuilles d'½ botte de basilic mauve, les raisins d'1 belle grappe de muscat d'Hambourg et 1 petit poivron doux chocolat. Ce poivron est une variété dont la couleur rappelle le rubis de la poudre de cacao, il a une amertume très élégante. Ensuite, dans un vaste sautoir et à feu doux, faites fondre 1 épais copeau de beurre salé avec 1 c. à soupe de miel d'acacia, laissez mousser quelques secondes et ajoutez-leur, sans les superposer, la betterave coupée en médaillon d'½ cm d'épaisseur, les raisins, la moitié du poivron râpé et les feuilles de basilic mauve. Comptez 15 à 20 minutes de cuisson, le raisin va laisser échapper son jus dans le beurre et le miel et ainsi créer au fond du sautoir une jolie petite sauce pourpre... Dressez vos assiettes chaudes en séparant le bouquet pourpre compoté de la petite sauce. Servez aussitôt avec une glace vanille ou romarin.

Pour la betterave, choisissez une crapaudine et la cuire en robe des champs dans une eau salée. Ne pas trop la cuire et la laisser tiédir dans son eau de cuisson. Vous pouvez également savourer ses fanes une fois confites dans le sautoir.

Si votre basilic est en fleur, n'hésitez pas à les ajouter.

Pour une glace au romarin ou à la sauge, prenez une recette de glace vanille en remplaçant les gousses par les herbes aromatiques.

Tu laisses les fanes.

Tu peux les manger quand elles sont confites.

Tony brosse la betterave

BROSS BROSS

Une cuillère de miel

un peu de beurre salé à fondre dans un sautoir

Tony râpe la betterave

égraine le raisin

RAP RAP

Coupe de petits morceaux de fanes

SNIP SNIP

elles deviennent confites

Le poivron noir est plus amer que le poivron rouge. Plus proche du poivron vert

Il y a déjà pas mal de notes sucrées.

Râpe un peu de poivrons, met quelques feuilles de basilic pourpre

Tu laisses compoter légèrement.

Quand tu sens l'odeur, tout se mélange, tu ne sais plus trop si tu es dans le dessert ou le salé.

On sent la terre du jardin et le sucre.

Le raisin devient doré.

Tu vois, tu n'as rien à faire. Le jus se forme tout seul.

Tony fait l'assiette

beau jus pourpre

éléments compotés dans un coin

Il ajoute une cuillère d'eau et quelques gouttes de vinaigre balsamique dans ce qui reste de sauce dans le sautoir pour faire un petit jus.

Il dispose des rayons de miel en brèche pour la décoration

Il ajoute des fleurs de basilic pourpre

pas trop parce que c'est fort.

Tu peux servir ça avec une glace vanille

Celle-là c'est une glace aux herbes et fleurs du jardin.

JULIE

Quand le chef est au piano, c'est pas pareil, c'est plus tendu.

C'est un monstre de cuisine.

Il nous impressionne tous.

Il ne crie jamais. Il te fait juste une petite remarque.

Je me rappelle au début que j'étais là, j'avais du mal avec la cuisson de mes viandes.

Je les ratais toujours.

On travaille dans le stress, la chaleur, la tension.

Tout est dans la tension retenue.

Tout dans la concentration.

Tu es constamment dans le calcul de ce que tu fais.

Quand tu relâches et que tu sors, tu es mort.

Je rêvais de cuisson de pigeon la nuit...

Tu te concentres sur ton poste mais tu dois anticiper le poste des autres.

Tu te concentres sur la cuisson de ton pigeon puis on t'apporte la garniture.

S'il y en a un qui merde dans la chaîne, ça fout le bazar.

Le chef quand il passe, il voit tout.

Il sait très bien quand on triche et qu'on met des préparations de côté pour ne pas être débordés.

Mais il a été cuisinier aussi.

Il sait qu'on doit se débrouiller.

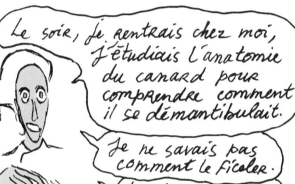

Le soir, je rentrais chez moi, j'étudiais l'anatomie du canard pour comprendre comment il se démantibulait.

Je ne savais pas comment le ficeler.

Le chef m'a mise directement à ce poste. Je ne connaissais rien.

Il m'a tout appris.

J'ai toujours adoré faire la cuisine.

J'ai fait Sciences-Po.

Puis un D.E.S.S. de management des arts culinaires.

Il fallait passer un CAP de cuisine pour l'avoir.

C'est la partie que j'ai préférée.

La cuisine est toute petite. Pas ergonomique.

Elle est vieille.

On est obligés d'être super organisés.

Paillasse de pomme de terre
à la sauge et ail nouveau

~~~~~~~

Paillasse de pomme de terre à la sauge et ail nouveau

Pour 4 personnes

Dans un vaste saladier, râpez à cru 1 dizaine de pommes de terre moyennes épluchées, plutôt une variété riche en fécule, pour favoriser la tenue de votre paillasse à la cuisson... ! Ajoutez au râpé de pommes de terre les gousses de 2 petites têtes d'ail écrasées et les feuilles « dénervées » de 4 branches de sauge. Dans une poêle chaude avec 1 épais copeau de beurre salé et à feu doux, confectionnez la paillasse en répartissant à la cuillère le râpé de pomme de terre à l'ail et à la sauge. Laissez cuire et dorer 10 bonnes minutes de chaque côté en la retournant et servez-la parsemée de fleur de sel, coupée en 4 et signée d'une noisette de beurre frais.

Il faut cuire la paillasse dans une grande poêle de 25 cm de diamètre.
Ne donnez pas à votre paillasse une épaisseur de plus de 1,5 cm
pour une bonne croustillance et un joli moelleux.

Un beau mesclun printanier à l'huile de noisette et vinaigre de Xérès
accompagnera parfaitement cette paillasse.

L'ail et la sauge doivent s'équilibrer, n'hésitez pas à rectifier leur proportion
selon votre goût.

Pour dénerver une feuille de sauge... la plier en 2 dans sa hauteur
et à la main, ôter la nervure centrale.

BOUQUET DE ROSES

Je vais te montrer un truc.

Ça va être dur, parce que tu pourras pas en parler.

C'est secret.

?

C'est quoi? C'est quoi?

On a redécouvert un grand classique: LA TARTE AUX POMMES

On l'a complètement relooké.

Mais c'est un secret. On va la présenter en exclusivité.

Bôh, il va bien y avoir prescription un jour, je peux prendre des notes.

Ouais mais tu montres rien, hein?

Regarde, on fait de belles lamelles.

Ce sont des pommes de chez toi, naturellement

Bon sang! Jamais vu Alain comme ça

SECRET DÉFENSE

Malheureusement non. On a tout mangé. On va replanter un verger.

On est enfièvrés avec cette histoire de tarte aux pommes, ici.

Dans le monde, la tarte aux pommes, c'est avec des quartiers, là on redéfinit le truc.

Avec cette forme, à la cuisson, ça va être terrible!

Bah oui, t'imagines que tu mets le doigt sur un truc comme ça, c'est énorme!

Elle arrive quand à table?

On la sert déjà, là, on la teste.

Non tu vois, c'est avec des trucs comme ça qu'on relance la dynamique de la maison. On est tous là-dessus.

Ne les fais pas trop haute, Madame.

Ça me gêne un peu, visuellement.

MYSTÈRE

Il faut un peu de feuilleté autour pour retenir les roses.

Tu vois, il y a des trucs comme ça, tu les gardes, mais là, j'ai envie de la distribuer, de la vendre...

Ça serait la tarte «Alain Passard»?

Je l'ai appelée «Bouquet de roses»

Tu as mis un parfum ou c'est pur?

C'est pur. Il y a juste du sucre de berlingot.

Et la pâte? Feuilletée

Four à air pulsé.

Je vais t'en montrer une autre là-haut dans le four à gaz. L'air pulsé assèche le fruit.

Alors que dans le four à gaz, porte ouverte, l'eau de végétation circule et sort.

Quand tu as une idée comme ça, par exemple un week-end à la campagne chez toi, tu l'essaies tout de suite?

Non non, je préfère attendre d'avoir la surprise. Ça fait un mois que j'ai eu cette idée. Je ne sais plus comment j'ai pensé à une spirale, j'étais avec quelqu'un. Je lui ai dit : « Retiens ça : l'idée de la spirale »

Le temps de cuisson : SECRET (long)
La température du four : SECRET (pas trop chaud).

faut pas agresser.

Au moment où le livre est publié, elle est déposée et en vente. Je peux la montrer.

Fins rouleaux de pommes

Cristaux de sucre de berlingot

La peau prend une couleur de rose séchée

Le fruit reste ferme à mi-hauteur.

Le bas est légèrement compoté

La pâte feuilletée est légèrement relevée pour retenir le bouquet

Pour la St Valentin, c'est une bonne idée.

hein?

C'est peut-être la plus belle idée que j'aie eue de ma vie.

Bin si! La tarte aux pommes, c'est un mythe intouchable.

Là, je la revois entièrement.

C'est marrant, c'est un cuisinier qui fait ça ...

...pas un pâtissier.

Viens, on va revoir celle dans le four à air pulsé, en bas.

Tiens, regarde ça en passant.

Oh!

Saumon au vin rouge et échalote

Tu vois, ça se corrige au nez.

Avec de la sauge, c'est bon ça.

Instantanément, Alain prend de la sauge dans le réfrigérateur sous le plan de travail et la met dans le sautoir.

Pourquoi tu m'as dit qu'il en restait pas?

Tu ne voyages pas assez dans tes frigos, Monsieur. Pense à ton esthétique. Il faut corriger en permanence.

oui chef!

Haricots verts, pêche blanche
et amandes fraîches

~~~~~~~

Fraises aux « éclats » de berlingots
à l'huile d'olive

Haricots verts, pêche blanche et amandes fraîches

Pour 4 personnes

Avant de réaliser une recette, j'adore faire un bouquet avec les légumes ou les fruits ou les deux, comme pour ces «haricots verts, pêche blanche et amandes fraîches». Je les pose sur une assiette, comme une nature morte et je les regarde, à la recherche de l'esthétique dans les formes et les couleurs, toujours dans l'idée d'un plaisir visuel...

Dans une grande casserole d'eau salée, cuisez à découvert, al dente, un saladier de haricots verts «extra-fins». À gros bouillons, comptez 3 minutes de cuisson - 5 à 6 pour des haricots verts récoltés plus gros. Avec une écumoire, plongez-les dans une eau glacée et égouttez-les sur un linge. Dans une grande poêle, à feu doux, faites fondre et mousser 40 g de beurre salé, ajoutez les haricots verts et laissez chauffer 7 à 8 minutes en les soulevant délicatement à l'aide d'une spatule en bois. À présent, sans mélanger, afin de ne pas abîmer les formes, ajoutez la pêche blanche taillée en bâtonnets, 2 douzaines d'amandes fraîchement décortiquées, le jus d'1 citron jaune, 1 c. à café de fleur de thym, de la fleur de sel et servez aussitôt en assiettes chaudes en récupérant précieusement la petite sauce très courte au fond du sautoir composée du beurre salé et du jus de citron.

J'aime parfumer le plat de plusieurs tours de moulin de poivre noir pour son côté « fumé boisé » délicieux sur les haricots verts et la pêche.

On plonge les haricots verts dans une eau glacée pour stopper la cuisson et préserver l'éclat de leur couleur.

Pour des allumettes de pêche blanche qui se tiennent... choisissez un fruit pas trop mûr.

Fraises aux « éclats » de berlingots
à l'huile d'olive

Pour 4 personnes

Coupez en 2 dans la hauteur 400 g de grosses fraises à température ambiante. Disposez-les sur vos assiettes, parsemez-les de brisures de berlingots concassés et ceinturez-les de quelques traits d'huile d'olive... Servez aussitôt. Vous pouvez aussi, pour un dessert gourmand, ajouter une boule de glace à la pistache et des petits palmiers tièdes.

Pour concasser les bonbons : mettez-les dans un linge et tapez avec un rouleau à pâtisserie.

Le dessert le plus simple DU MONDE

LE POTAGER NORMAND

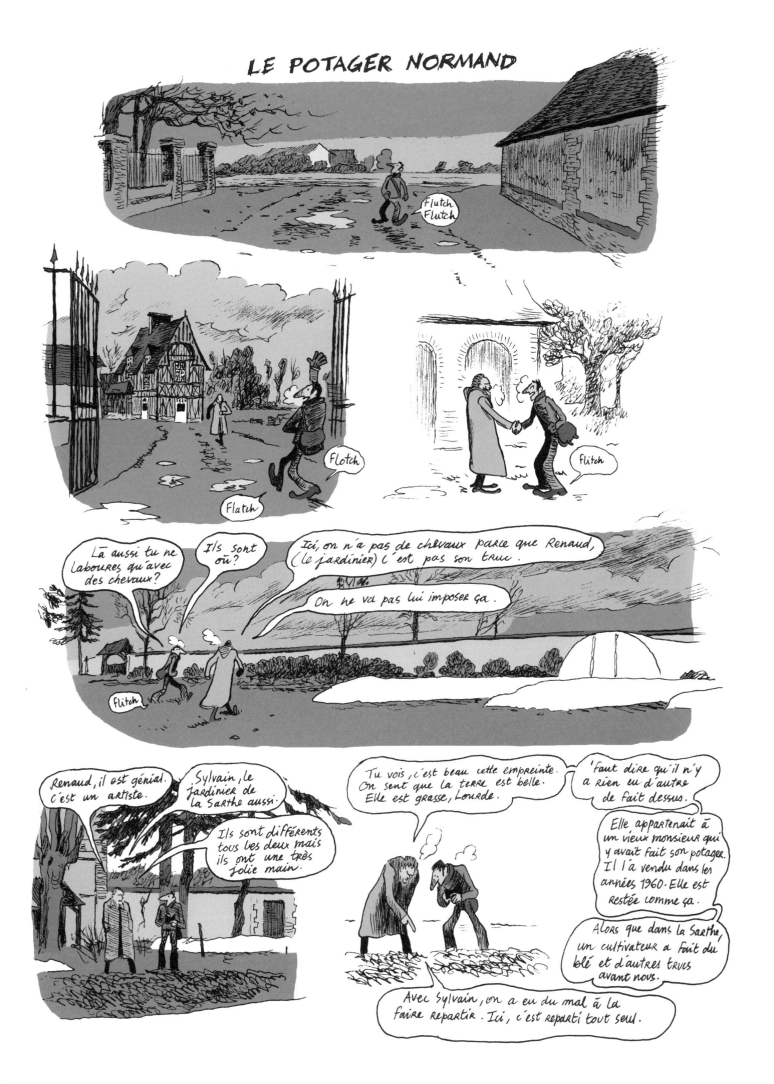

Alors ça, c'est les framboises, les fraises, la betterave, le céleri, le chou-rave

On a fait des petits silos et on le conserve tout l'hiver dans du sable.

C'est très bon pour l'ail. On les fait ici parce qu'on s'est aperçus que dans la Sarthe, ça ne marchait pas du tout.

Toutes sortes de trucs.

Les betteraves aussi.

Un photographe est venu au jardin faire des clichés pour Télérama. Alain pose. Il a l'air de bien savoir faire ça. Il est photogénique. Ça lui plaît.

Je me balade

KWÂK!

Dragée de pigeonneau à l'hydromel

Dragée de pigeonneau à l'hydromel

Pour 4 personnes

Cuire à la poêle 2 beaux pigeonneaux en les retournant régulièrement, comptez 45 minutes de cuisson et ils seront à point. J'affectionne ce type de cuisson où l'on voit son produit et où l'on entend sa cuisson. Le pigeonneau est une denrée très délicate, sa chair est soyeuse. Au four il prendrait la température affichée au thermostat et se déshydraterait, mais ce qui me gêne le plus... c'est que la porte du four soit fermée ! Je n'entends plus rien et je ne vois plus rien, j'ai besoin d'informations quand je cuis, besoin de solliciter mes sens, le visuel, l'oreille, la main et aussi humer les parfums d'une cuisson... ça sent bon dans la cuisine... Voilà, c'est un petit cours sur l'école du feu.

Dans un sautoir, faites fondre et légèrement caraméliser à feu doux le sucre d'une trentaine de dragées (7 à 8 minutes), mélangez-les, elles se collent entre elles et forment une masse ; éteignez la flamme et laissez refroidir dans le sautoir (vous pouvez le faire la veille). Au rouleau à pâtisserie, concassez les dragées en pilonnant le bloc, vous devez obtenir la texture d'une chapelure un peu grossière.

À présent, dans une poêle, tamponnez les pigeonneaux cuits avec un morceau de beurre salé afin de bien les lustrer et recouvrez-les entièrement d'une fine couche de dragées concassées - et sous un gril chaud, faites caraméliser la peau des pigeonneaux. C'est la conjugaison du beurre salé et du sucre des dragées qui va donner aux pigeonneaux une jolie couleur dorée. Pendant la caramélisation, les pigeonneaux laisseront échapper dans la poêle un peu de sang, gardez-le précieusement pour les saveurs et la liaison de la sauce.

Dressez les pigeonneaux sur un plat, assaisonnez-les à la fleur de sel, au quatre-épices et présentez-les à vos invités. Maintenant, à feu doux dans la poêle où se trouve le sang des pigeonneaux, faites caraméliser 4 c. à soupe de chapelure de dragées avec 2 copeaux de beurre salé (2 à 3 minutes), ajoutez ¼ de litre d'hydromel et 1 pochon d'eau, laissez frémir ; vos pigeonneaux sont revenus... vos invités se sont exclamés devant votre travail ! Découpez-les en séparant les chairs des carcasses que vous concassez grossièrement au couteau et ajoutez-les aux 2 foies de pigeonneaux hachés, dans l'hydromel frémissant, et au ½ citron coupé en fines rondelles. Laissez mijoter en mélangeant et surtout en rajoutant ce que j'appelle «le jus de découpe»... celui que les pigeonneaux ont laissé échapper sur votre planche de travail pendant la découpe. Votre sauce doit être un peu nappante avec une belle brillance. Passez le jus obtenu au chinois, n'hésitez pas à fouler, corrigez l'assaisonnement et servez fumant en saucière chaude avec les 4 demi-pigeonneaux. Pensez à chauffer vos assiettes et garnissez avec quelques feuilles d'endives grillées ou poêlées au beurre salé.

Les foies hachés des pigeonneaux offriront aussi à votre sauce hydromel saveurs, parfums et texture. Autres garnitures possibles, au printemps, des petits navets nouveaux au beurre salé et, en automne, une purée de céleri-rave.

Le quatre-épices est un mélange de clou de girofle, muscade, poivre, gingembre.

Cette recette est tout aussi savoureuse avec de petites canettes voire, à la saison de la chasse, un canard sauvage.

LE POTAGER SARTHOIS

Regarde ça, c'est une grelinette.
C'est pour aérer la terre doucement en surface, puis on désherbe facilement.
Ici, on ne laboure pratiquement pas. On ne se l'autorise que tous les quatre, cinq ans, de façon très superficielle.
Sinon tu bouleverses ton sol qui va mettre du temps à retrouver son équilibre
Tu vois ce mur... J'ai cultivé mes fèves en serre qui ont été foutues parce que c'était fermé.
Elles manquaient d'insectes pollinisateurs. Alors, je les ai mises contre le mur plein sud.
Et là, elles résistent bien.
Ça, c'est Devine, la jument et sa petite Sazurka.
Sazurka est encore un peu nerveuse. Elle doit apprendre à obéir.
Tu travailles ici depuis quand?
Je suis arrivé en stage en 2002, mais vraiment depuis 2003.
Tu dirais qu'il en est où ton potager? Dans sa maturité?
Je dirais qu'il est dans son adolescence.
Il ne donne pas encore tout ce qu'il pourrait donner.
Qu'est-ce que tu as fait pour arriver là?
Un Bac agricole. Un BTS aménagement paysager.
Mais tu sais, les connaissances du maraîchage, je les ai apprises sur place.
Je suis un autodidacte.
J'accumule mes connaissances naturalistes depuis que je suis gamin.
Je ramassais des lézards et je les élevais dans ma chambre.
Ma mère faisait la gueule.

Ananas à l'huile d'olive,
miel et citron

~~~~~~~~~

Ananas à l'huile d'olive, miel et citron

Pour 4 personnes

J'aime un ananas lourd à l'écorce claire, lumineuse et souple ; la base du fruit, partie plus tendre et plus parfumée où se localise le sucre, doit révéler des arômes exotiques floraux ; choisir aussi un ananas avec des yeux colorés et cernés d'un léger liseré vert ; miser aussi sur la fraîcheur du plumet et la section du pédoncule... Je vous recommande la variété « Queen Victoria » aux feuilles courtes et épineuses, c'est un ananas de petit calibre à peau jaune, sa pulpe est fondante et parfumée, son jus abondant et très savoureux ; et aussi le « Cayenne lisse » cultivé dans tous les grands pays producteurs, il se caractérise par un plumet quasiment inerme.

Réunissez sur votre table de travail, 1 pot de miel d'acacia liquide de 150 g, 2 gros citrons verts, 1 pomme verte, un bon ¼ de litre d'huile d'olive et 1 ananas. Dans un verre gradué, mixez le miel avec le jus des 2 citrons verts. Ajoutez l'huile d'olive en la versant tout doucement sur le mélange «miel-citron» comme pour confectionner une mayonnaise – puis débarrassez l'ananas de son écorce et tranchez-le en cubes de 2 cm de côté ; dressez vos assiettes de présentation en dessinant une base avec 4 à 5 c. à soupe d'émulsion «miel-citron-huile d'olive» sur laquelle vous formerez un «petit château» d'une douzaine de cubes d'ananas par personne et recouvrirez chaque assiette de 5 à 6 pétales de pomme verte transparents confectionnés à la mandoline au dernier moment. Servez parsemé d'un voile de romarin frais ciselé au-dessus des assiettes.

Le citron vert peut être remplacé par du citron jaune, l'huile d'olive par de l'huile d'arachide.

En été, cette recette est délicieuse avec des grosses fraises du jardin et des quartiers de pêche blanche frais.

Rien à voir, mais j'adore cette vinaigrette avec des poireaux cuits à l'eau et des petites pommes de terre en robe des champs... ha ha ha !

Betterave rouge au basilic pourpre
et mûres à la fourchette

~~~~~~~~

Sushis « légumiers... » !

Betterave rouge au basilic pourpre et mûres à la fourchette

Pour 4 personnes

À la fourchette, écrasez dans une casserole un bol de mûres fraîchement cueillies dans un roncier... Ensuite, à feu doux, faites-les tiédir ¼ d'heure en leur ajoutant les feuilles ciselées de 4 branches de basilic pourpre, 2 copeaux de beurre salé et 2 c. à soupe de sauce soja. Tandis que cette fondue de mûres au basilic mijote, faites cuire à l'eau salée, en «robe des champs», une douzaine de petites betteraves «printanières» grosses comme des balles de ping-pong. Comptez 20 minutes de cuisson. Égouttez-les et laissez-les tiédir 10 minutes avant de les débarrasser de leur peau. Répartissez alors la fondue de mûres sur 4 assiettes de service chaudes et déposez-y les betteraves tièdes. Parsemez de fleur de sel et ceinturez d'une mousse de lait entier chaude «façon capuccino», confectionnée à la machine à café.

Toujours pour rester dans les mauves, à la saison vous pouvez parsemer ce plat de lavande fraîche.

Sushis « légumiers… » !

Pour 4 personnes

Réalisez une brunoise avec 1 carotte, 1 navet, ½ petit chou rouge, 1 petit radis noir et 1 petit bulbe de fenouil. Ensuite, dans un saladier, mélangez cette farce de légumes crus avec 6 c. à soupe d'huile d'olive et 1 botte de ciboulette finement ciselée. Puis, emprisonnez et roulez cette farce dans des galettes de riz passées sous l'eau froide en leur donnant 1,5 cm de diamètre et créez les sushis en coupant des tronçons de 2 cm, dressez-les sur une assiette et soulignez-les d'un long trait de moutarde d'Orléans. Arrosez copieusement chaque sushi d'huile d'olive et de sauce soja (shoyu) avant de les recouvrir respectivement d'un médaillon de betterave rouge, un de betterave jaune et un de betterave ivoire, toutes trois cuites en robe des champs dans une eau salée fumante.

Pour simplifier, vous pouvez également tailler les légumes en julienne.

Je vous conseille la moutarde d'Orléans onctueuse, c'est un condiment broyé à la meule de pierre, j'adore son jaune brossé et sa texture meringuée.

Le moment que je préfère, c'est lorsque le service est fini, vers 15-16h, Alain fait dresser une table pour lui et pour moi. Il nous fait porter des plats. « Tiens, Monsieur, tu nous mets un petit ceci — Tiens Madame, tu nous emmènes un bon cela » c'est la récompense.

Bien chef

On est les premiers à exploiter vraiment trois potagers.

On travaille sur trois terroirs.

Champagne

Trois?

On vient d'en ouvrir un dans la baie du Mont-St Michel

Moi, je voudrais qu'on parle des carottes comme de grands crus.

Le terroir, c'est vachement important pour moi.

On a fait des essais. J'ai demandé aux mecs de planter des graines sur les trois terroirs. La même graine de navet globe.

C'est un navet blanc et mauve.

L'idée, c'est de voir comment réagit le produit à des terroirs différents.

Dans la Sarthe, on a un terrain sablonneux. Dans la Manche, on a des alluvions et dans l'Eure, on a de l'argile.

Une pluviométrie différente.

On va voir où le légume va être le plus parfumé, le plus élégant.

Au bout de deux mois, je demande aux gars de m'envoyer les trois navets et je les vois arriver.

Je juge la couleur, l'esthétique, le parfum, le toucher.

Ensuite je l'ouvre, j'observe la texture, je prends le parfum, je goûte cru, je le fais cuire, je le goûte cuit et à la fin je le goûte comme un vin...

Je le passe à la centrifugeuse, j'ai mon jus de navet et je le goûte et je me dis, bin voilà...

On le fera dans l'Eure.

Parce que c'est là qu'il a tout son confort de vie, qu'il a toutes ses forces olfactives.

On va passer tout au peigne fin de façon à positionner le produit en fonction de la nature du sol

Je veux faire du légume un grand cru.

Tu vois, Sylvain (le jardinier de la Sarthe), c'est le classicisme, c'est la grâce.

C'est lui qui supervise les potagers.

Renaud, (le jardinier de l'Eure), il est plus moderne, il a la créativité en lui.

Je voudrais faire du jardinier le métier de demain.

Habituellement, les jardiniers ne goûtent pas ce qu'ils font.

Eux, ils cherchent avec moi.

Renaud, je lui ai acheté un fumoir pour fumer des légumes avec des essences de bois différentes.

PUF PUF

Alain me donne le rapport de l'essai du navet dans les 3 terroirs. L'aspect, le calibre, l'empreinte olfactive du sol... sont minutieusement disséqués. Extrait :
« Extraction à cru des jus :

Sarthe : Nez du jus fané, déséquilibré dans les arômes. Jus assez clair. En bouche : première perception gustative : amertume sans élégance et sans grâce. Bonne longueur de saveur avec un final légèrement piquant.
Eure : Superbe parfum, couleur de vieux rose. En bouche : superbe longueur, délicate astringence, sapidité franche et précise.
    Sarthe : 4/10
    Manche : 6,5/10
    Eure : 8/10 »

En ce moment, on travaille sur l'idée de faire des composts « mono-produit ».

Par exemple, on a des roseaux qui poussent dans des mares.

Est-ce qu'ils n'apporteraient pas un peu de fraîcheur au persil ?

On a un châtaignier qui offre tous les ans son compost au sol depuis soixante ans.

On va essayer de comprendre la nature du sol.

Avec ses branches, ses feuilles, ses fruits.

J'ai dessiné une assiette sous le châtaignier et j'ai dit à Renaud :
« Tu vas planter le céleri-rave. Peut-être que ça va lui donner une note de châtaigne.

On va faire pareil avec un figuier, puis avec d'autres arbres fruitiers.

Alain salue tous les clients qui partent. Il a un petit mot pour chacun.

On va à son bureau, rue de Bourgogne.

T'as changé de moto ?

C'est la même que la précédente.

J'ai cassé l'autre.

Ce soir, je prépare un dîner-buffet dans les Yvelines.

Je vais grimper sur la moto avec le tablier et tout pour être au restaurant juste après.

Hahaha ! Le cirque !